Mary Touquet

800
nouvelles
HISTOI
drô

Éric Puybaret

HACHETTE Jeunesse

Au fil des pages :

La maîtresse décolle !

Le petit Loulou a un problème d'orthographe. Il hésite, se gratte la tête, puis finalement se décide à demander à la maîtresse : « Madame, s'il vous plaît, *sonnerie* ça s'écrit avec un "s" ou un "c" ? »

Le maître demande à Félix dans quel pays on trouve des éléphants. « Ben, dans aucun pays. On peut pas les trouver, ils sont trop gros pour être perdus ! »

En cours d'histoire, le professeur demande : « Pourquoi les pyramides sont-elles toutes en pointe ?
– Parce que ceux qui y travaillaient étaient de plus en plus fatigués. Plus la construction avançait, moins ils avaient le courage d'en faire ! »

« Maman, dit Thomas, j'ai vu deux chevals passer devant la maison.
– Tu te trompes, mon chéri, ce ne sont pas des chev*als*, ce sont des chev*aux*.
– Ah bon ? J'aurais pourtant juré que c'était des chevals ! »

Au catéchisme, le jeune Toto vient de gribouiller un étrange dessin. « Pourrais-tu dire ce que tu as dessiné ? demande la maman catéchiste.

– C'est le Bon Dieu.
– Mais personne ne sait à quoi ressemble le Bon Dieu.
– Eh bien, maintenant, on le saura ! »

Loulou, huit ans, visite Paris avec son papa.
Les voici à l'Arc de Triomphe, devant la dalle du soldat inconnu.
« C'était qui, papa ? demande Loulou.
– Personne ne l'a jamais su.
– Alors, pourquoi on l'a tué ? »

Lolotte est en train de bavarder avec sa voisine en classe.
La maîtresse s'en aperçoit et lui demande :
« Lolotte, dis-moi donc quelle est la cinquième lettre de l'alphabet.
– Euh...
– Très bien, Lolotte, pourtant tu n'avais pas l'air très attentive. »

« Matthieu, peux-tu me dire ce qui s'est passé d'important en 1769 ?
– Napoléon est né, monsieur.
– Très bien, Matthieu. Et en 1772 ?
– Napoléon a eu trois ans, monsieur. »

« Qu'as-tu appris à l'école ? demande une maman à sa fille.
– J'ai appris à écrire.
– Très bien. Et qu'as-tu écrit ?
– Je ne sais pas, on n'a pas encore appris à lire. »

Loulou n'arrête pas de bavarder. Énervée, la maîtresse lui dit :
« Loulou, tu me copieras cent lignes.
– Impossible, répond Loulou, j'ai oublié ma règle à la maison ! »

« Aujourd'hui, votre devoir de français, dit le maître, est de raconter un match de rugby. » Guillaume, qui ne sait pas quoi dire, écrit sur sa copie : *Temps pluvieux, terrain impraticable, match remis.*

« Qu'est-ce qu'un oiseau migrateur ?
– C'est un oiseau qui ne se gratte que d'un côté ! »

(Mi-gratteur)

« Toto, récite-moi la table de multiplication !
– La… la… la… lalala… lalalalalala…
– C'est une table de multiplication, ça ?
– Non, ça, c'est la musique ! répond Toto. Je ne me souviens pas des paroles. »

Louis a de mauvaises notes à l'école. Son père, en colère, lui dit :
« À ton âge, Napoléon était toujours premier.
– Oui, mais au tien, il était déjà empereur ! »

La maîtresse interroge Stachou qui reste muet. Elle lui dit :
« Alors, Stachou, ma question t'embête ?
– Ça n'est pas tellement la question, c'est la réponse ! »

C'est une virgule qui dit à un point : « Arrête de me couper ou je te mets entre parenthèses. »

La catéchiste interroge les enfants : « Qui peut me parler du péché originel ?
– Moi, dit Charlotte.
Tout a commencé avec une pomme. Résultat : une quantité incroyable de pépins ! »

Au Louvre, deux petites filles s'arrêtent devant une superbe statue d'Apollon dont le seul vêtement est une feuille de vigne placée, hum, hum, vous savez où… Après l'avoir contemplée longuement, l'une des deux charmantes enfants déclare : « On reviendra à l'automne… »

Leçon de poésie :
« Quand un poème n'est pas en vers, il est en quoi ? demande le maître.
– Il est en plastique », répond Matthieu.

« Qui peut me dire comment
a été signé l'armistice ? demande
la maîtresse.
– Avec un stylo ! »

L'inspecteur est arrivé dans
la classe d'une très jolie maîtresse.
Cette dernière tente de lui montrer
comment ses élèves apprennent
bien l'anglais.
Elle va donc écrire une phrase
au tableau et demande qu'on
la traduise. Immédiatement,
Thomas lève le bras et dit :
« Ah ! La belle femme que voilà !
– Mais non, dit la maîtresse.
Où as-tu été chercher ça ? »
Furieux, Thomas se rassied
et murmure à l'inspecteur :
« Quand on ne sait pas, on ne
souffle pas ! »

C'est un gamin qui part jouer
dans le jardin public.
Sa mère lui crie :
« Emmène ton petit frère !
– Ah non, alors !
– Mais pourquoi ?
– La dernière fois, il a mangé
toutes les limaces que j'avais
ramassées ! »

La maîtresse demande :
« Quels furent les principaux envahisseurs de la France au cours de l'Histoire ?
– Les Huns, répond un élève.
– Et qui encore ?
– Les autres ! »

« Allô ! Bonjour, madame la directrice. Jules ne viendra pas en classe aujourd'hui, il est malade.
– Très bien. Mais qui êtes-vous ?
– Moi, eh ben, euh, je suis mon père. »

« Ce matin, à l'école, j'ai li, dit un petit garçon.
– On dit : "J'ai lu", corrige la maman. Et qu'as-tu fait d'autre ?
– J'ai écru. »

La maîtresse essaie vainement de déchiffrer ce que Théo écrit sur sa feuille.
« Tu devrais écrire plus gros, dit-elle, je n'y vois rien.
– Ben, pourtant, c'est des gros mots ! »

« Qui est le chef de l'Église catholique ? demande la catéchiste à ses jeunes élèves.
– Le pape.
– Très bien. Et comment s'appellent les personnes qui l'assistent ?
– Les papillons ! »

« Si je te donne deux bananes, puis encore deux, combien en as-tu ? demande une maman à son fils.
– Je ne sais pas.
– Voyons, deux plus deux, c'est facile. Tu n'apprends pas à compter à l'école ?
– Si, mais avec des pommes ! »

« Sophie, combien font quatre et quatre ?
– Neuf.
– Tiens, moi, on m'a toujours dit que quatre et quatre, ça faisait huit.
– Eh oui, mais, que veux-tu tout augmente ! »

« Quel homme de lettres n'est ni écrivain, ni professeur ?
– Le facteur. »

« Quand une ligne n'est pas droite, comment est-elle ? demande le professeur de mathématiques.
– Elle est gauche, monsieur », répond Toto.

Martin vient d'entrer en sixième et il a horreur de l'anglais.
Sa maman tâche de l'encourager :
« C'est important, l'anglais ; la moitié de la planète parle anglais.
– Eh bien, justement, ils sont assez nombreux comme ça ! »

« Tu t'es encore battu avec Alexandre, dit une maman à son fils. Ton pantalon est tout déchiré. Je vais être obligée de t'en acheter un autre.
– Eh bien, si tu voyais Alexandre, c'est encore pire : sa maman va être obligée de s'acheter un autre petit garçon. »

En classe, le professeur donne une leçon de politesse :
« Supposez que, par mégarde, vous marchiez sur les pieds d'une dame : qu'est-ce que vous faites ?
– Moi, je sais, répond aussitôt Loulou, je lui dis : "Pardon, madame."
– C'est très bien, complimente le professeur. Et maintenant, suppose que la dame, pour te récompenser de ta politesse, te donne une pièce de monnaie : là, qu'est-ce que tu fais ?
– Ben… cherche Loulou, je lui marche sur l'autre pied pour en avoir une deuxième. »

« Alors, les maths, ça marche bien ?
– Oh non ! Je nage, avoue Pierrot.
– Et en français, ça va mieux ?
– Oh ! là ! là ! Je nage aussi.
– Bon, alors, le sport, la natation, qu'est-ce que ça donne ?
– Alors là, je coule. »

Un père dit à son fils :
« Franchement, tu as une sale écriture, tu devrais faire un effort pour écrire plus lisiblement.
– Pas question, répond le fiston. Je l'ai fait une fois et le prof m'a dit que je faisais trop de fautes d'orthographe ! »

« Maman, il faut que tu m'amènes chez le docteur.
– Pourquoi, ma chérie, tu ne te sens pas bien ?
– Non, c'est la maîtresse : elle m'a dit de soigner mon écriture ! »

« Je ne comprends pas, dit l'instituteur à un élève. Tu avais de si bonnes notes en calcul, au début de l'année !
– Oui, m'sieur, mais maintenant, mon père n'arrive plus à suivre ! »

« Jean de La Fontaine était-il sympathique ?
– Oui, c'était un homme affable ! »

(À fables)

Cette institutrice est énervée par une de ses jeunes élèves :
« C'est exaspérant. Pourquoi, à chaque fois que je te pose une question, me réponds-tu par une autre question ?
– Je fais ça réellement ? »

Un professeur de lycée demande à ses élèves :
« Quelle est la différence entre la culture et la confiture ? »
Et comme personne ne trouve, il explique :
« Il n'y en a pas. C'est la même chose pour les deux :
moins on en a, plus on l'étale ! »

« Demain, annonce l'instituteur à ses élèves, nous aurons la visite de l'inspecteur. Il faut lui faire bonne impression.
Alors, voilà ce que je propose : tout le monde lèvera la main pour répondre à mes questions.
Mais, pour que tout se passe bien, ceux qui savent lèveront la main droite et ceux qui ne savent pas la main gauche. »

C'est un père de famille qui agresse un enseignant en hurlant :
« Je le sais que mon fils n'est pas beau, mais ça n'est pas une raison pour le traiter de singe.
– Je ne l'ai jamais traité de singe !
– Si, vous avez dit que les mathématiques ne sont pas son fort et qu'il devrait changer de branche. »

L'instituteur est en colère :
« Comment se fait-il, Martin,
que tu sois toujours en train
de regarder la pendule ?
– C'est parce que j'ai toujours peur
que la sonnerie de la récréation
ne vienne interrompre
votre passionnante leçon ! »

« Quelle est la différence entre
les lettres A et K ?
– Aucune, puisque A vaut K. »

(Avocat)

« Quel est le comble pour
un professeur de géographie ?
– Voir une rivière suivre son cours ! »

« Enfin, dit en se fâchant
un instituteur, quand je vous
explique comment est fait
un singe, vous pourriez
me regarder avec attention ! »

« L'ignorance, dit un professeur
à ses grands élèves, ce n'est pas
quand vous ne savez pas
quelque chose, c'est quand vous
ne savez pas quelque chose
et que quelqu'un s'en aperçoit ! »

« Qu'est-ce que les enfants usent plus vite que leurs chaussures ?
– La patience de leurs professeurs ! »

Un instituteur, excédé, dit à un de ses élèves :
« Tiens, Jojo, voici un franc.
Tu vas aller chez l'épicier du coin et tu lui demanderas de te donner pour un franc d'intelligence. »
Dix minutes plus tard, le gamin revient et fait bien rire
ses camarades en racontant :
« J'ai dit à l'épicier que c'était pour vous. Il m'a répondu que, dans ce cas, il fallait bien que j'en prenne pour cinquante francs. »

« Quel est le plus grand mot de la langue française ?
– *Élastique*, parce que ça s'étire ! »

Une mère secoue son fils et lui dit :
« Debout, Gaston, il faut te lever et aller à l'école ! Dépêche-toi, sinon tu vas être en retard !
– Non, proteste-t-il, je ne veux pas aller à l'école, j'en ai marre de l'école. Donne-moi seulement une bonne raison pour y aller.
– Eh bien, dit la mère, en voilà une : c'est toi le maître ! »

Un instituteur voit une publicité pour un magnétoscope :
Apprenez en dormant !
« Tu parles d'une nouveauté, s'exclame-t-il. Je peux vous assurer que, dans ma classe, il y a bien la moitié des élèves qui la mettent d'eux-mêmes en pratique, cette méthode ! »

Une mère de famille, parlant de ses enfants, dit à une voisine :
« Mon premier a la grippe,
mon deuxième a un rhume
et mon troisième a une angine.
– Et votre tout ?
– Ma toux ? Elle est contagieuse. C'est pour ça qu'ils sont tous malades. »

« C'est tout de même dommage, s'écrie la gardienne d'un immeuble, que d'aussi braves gens que les Duval aient un fils tellement insupportable !
– Il est vraiment aussi odieux qu'on le prétend ?
– Écoutez, c'est bien simple : quand ses parents se sont inscrits à l'Association des parents d'élèves, ils l'ont fait sous un faux nom. »

« Mon père et moi, nous savons tout, affirme un jeune écolier.
– Ah oui ! répond l'instituteur en riant. Alors, dis-moi quelle est la capitale de l'Afghanistan ?
– Ça, dit l'écolier, sans se démonter, c'est mon père qui le sait. »

« Quel est le comble pour un "i" ?
– C'est d'être mal en point ! »

« Décrivez, demande l'instituteur à ses élèves, comment, au cours d'une promenade, vous avez été frappés par le pittoresque de la forêt… »
Après avoir longuement hésité, Loulou se décide à écrire :
Avec mes parents, on marchait dans le bois. Soudain, j'ai reçu un coup sur la tête. C'était le pittoresque de la forêt qui m'avait frappé.
Le temps que je me retourne, il avait déjà regagné sa tanière !

« Matthieu, veux-tu bien mettre
à l'impératif cette phrase :
Le cheval tire la charrette. »
Et le gamin de répondre :
« Hue ! »

Un instituteur raconte à un collègue :
« J'avais convoqué la mère d'une
de mes élèves qui trouble la classe
par ses bavardages incessants.
– Et alors ?
– Eh bien, pendant le quart d'heure
où je l'ai eue en face de moi,
je n'ai pas pu placer un mot. »

Une petite fille raconte à sa mère :
« Il y a une nouvelle élève dans notre
classe qui vient du Tanganyika.
– Ah ! dit la mère amusée, et tu sais
où c'est, le Tanganyika ?
– Non, mais ça ne doit pas être
très loin parce qu'elle retourne
déjeuner chez elle tous les midis. »

« Loulou, si je dis : "Je suis belle",
de quel temps s'agit-il ?
– Du passé, madame ! »

La maman de Charlotte explique à sa fille comment différencier sa droite de sa gauche. Elle lui dit que la droite c'est la main « qui écrit ». Le lendemain, la petite fille tombe de la balançoire au square. Elle va voir sa mère et lui dit :
« Maman, je me suis fait mal au genou qui n'écrit pas ! »

Une petite de CE1 apprend les conjugaisons. En rentrant de l'école, elle se précipite vers sa mère :
« Maman, donne-moi vite à goûter, j'ai beaucoup de travail, je dois faire mes devoirs conjugaux. »

« Quelles sont les lettres les moins lisibles ?
– F, A, C ! »

(Effacer)

L'institutrice demande : « Le mot *pantalon* est-il singulier ou pluriel ? »
Toute la classe réfléchit.
Enfin, Jojo lève la main :
« Il est singulier dans le haut, et pluriel dans le bas. »

Sujet de rédaction : *Illustrez par une petite fable le mot « chance ».* Une élève écrit : *Un jour, un promeneur fut assassiné par un bandit qui voulait lui prendre son argent. Or, justement, il avait oublié son portefeuille. Ça, c'est de la chance !*

Encore une rédaction : *Décrivez ce que vous avez dans les poches.* Un petit garçon malin écrit : *Des trous !*

Une maman gronde son petit garçon :
« Je t'ai dit cent fois de ne rien écrire sur les murs, c'est très sale !
– Mais, maman, proteste le gamin, ce sont des noms propres ! »

En classe de grammaire, la maîtresse dit à ses élèves :
« *Je ne m'étions pas beaucoup amusée, cet été.* Comment pourrais-je corriger cette phrase ? »
Une petite fille lève la main :
« L'été prochain, tâchez de vous trouver un petit ami. »

C'est Toto qui rentre de l'école tout content. Il dit à sa mère :
« Je suis le seul à ne pas avoir eu 0. Le maître a dit : "Matthieu 0, Thomas 0, Hassan 0, et Toto *idem !*" »

« Mon garçon, dit un père de famille en examinant le carnet de notes de son fils, tu mériterais 20 sur 20 s'il y avait une note de courage pour oser ramener un livret pareil ! »

La maîtresse demande à Jojo :
« Donne-moi une phrase avec un attribut et une épithète.
– Ben... *Aujourd'hui il pleut sur la tribu, et pitète que demain il fera beau !* »

Une petite fille va à l'école pour la première fois. Le soir, sa maman lui demande :
« Alors, ça t'a plu ?
– Oui, mais la maîtresse est nulle, elle ne sait rien. Il faut lui donner la réponse à chaque fois ! »

« Quelle est la différence entre la lettre A et un clocher ?
– La lettre A est une voyelle, et le clocher c'est là qu'on sonne. »

(La consonne)

Le petit Bastien a du mal
avec la langue française…
L'institutrice lui demande :
« Bastien, à qui est ce stylo ?
– C'est mon mien !
– Mais non, Bastien : "C'est *le* mien."
– Non, madame, c'est mon mien !
– Voyons : "C'est *le* mien !"
– Bon, d'accord, je vous le rends. »

« Quel est le temps qui ne fait
jamais de fautes ?
– Le plus-que-parfait ! »

À la fin de l'année scolaire,
Toto rentre tout joyeux chez lui
et annonce à son père :
« Tu vas être content, papa.
Toi qui te plains toujours que
tu n'as pas assez d'argent,
eh bien, l'année prochaine,
tu n'auras pas à m'acheter
de nouveaux livres de classe ! »

Le maître demande à Charlotte :
« Qu'y a-t-il en dessous du litre ?
– Le décilitre.
– Bien, et au-dessus ?
– Le bouchon ! »

C'est un élève qui avait un poil dans la main… On lui donne comme sujet de rédaction : *Décrivez le naufrage du « Titanic »*. Après avoir réfléchi longuement, il se décide enfin à écrire :
Le capitaine du navire n'eut pas le temps de réagir quand il vit l'iceberg. En trente secondes, son bateau avait coulé. On n'en a jamais su davantage…

« Comment peut-on écrire *oreiller* en une seule lettre ?
– Ø »

(O rayé)

C'est l'heure de la dictée.
Le maître dicte :
« Christophe, dit le maître, est un cancre… »
Il se penche sur la copie de l'élève et lit : « *Christophe dit : "Le maître est un cancre !"* »

« Loulou, qu'est-ce qu'on met au bout d'une ligne ?
– Un asticot, monsieur. »

Complètement marteaux !

« Je peux savoir le temps qu'il fait sans regarder le ciel et sans consulter aucun appareil météorologique, affirme Léon Toctoc.
– Et comment fais-tu ?
lui demandent ses copains.
– C'est très simple. Je mets un bout de papier dehors.
S'il devient humide, c'est qu'il pleut ; s'il devient jaune, c'est que le soleil brille ; s'il se déplace, c'est qu'il y a du vent ; et si je ne le vois plus, c'est qu'il neige ! »

Il y a un problème au zoo.
Le kangourou n'arrête pas de s'enfuir de son enclos. Le directeur du zoo, sachant de quoi l'animal est capable, fait construire un mur de trois mètres. Mais, le lendemain, on retrouve le kangourou en liberté dans le zoo. On surélève encore le mur d'un mètre.
Le kangourou se sauve à nouveau.
On rajoute un mètre de grillage et… le kangourou se fait toujours la belle !
Il finit par y avoir cinq mètres de grillage. Le lion de la cage voisine demande au kangourou :
« Jusqu'à quelle hauteur tu crois qu'ils vont monter ?
– Dix mètres, répond le kangourou… À moins qu'ils ne se rappellent qu'il faut fermer la porte de l'enclos pendant la nuit ! »

Dans les accidents de chemin de fer, c'est toujours le dernier wagon le plus dangereux.
C'est pour cela qu'on l'a supprimé !

Émile a entendu à la radio un commentateur déclarer : « 90 % des accidents de la route ont lieu dans un rayon de dix kilomètres de votre domicile. »
Alors, il a déménagé !

« Combien de Toctoc faut-il pour repeindre une maison ?
– 1 001. Un pour tenir le pinceau, et 1 000 pour faire bouger la maison de haut en bas ! »

« Comment reconnaît-on une horloge parlante Toctoc ?
– Elle dit : "Au quatrième top, il sera exactement 2 heures 45 minutes et 52 secondes… Non, attendez ! 53 secondes… Oh non, 56 secondes…" »

Ces deux ouvriers Toctoc doivent
mesurer la longueur d'un poteau
télégraphique. Ils commencent
par essayer d'escalader le poteau,
mais celui-ci est très glissant
et ils ne peuvent arriver au sommet.
Un fermier passe par là. En voyant
leur embarras, il conseille :
« C'est facile : arrachez le poteau,
couchez-le, mesurez-le
et remettez-le en place. »
Alors, le premier Toctoc dit
à l'autre :
« C'est bien ça, les gens
de la campagne. Tu demandes
la hauteur et ils veulent mesurer
la longueur ! »

Jojo écrit la dictée de Pivot
et il n'a fait que deux fautes :
une à *dictée* et une à *Pivot*.

« Qu'y a-t-il d'écrit en haut
de la grande échelle des pompiers
Toctoc ?
– *Stop !* »

Le père et l'enfant se promènent
dans un beau verger :
« C'est quoi, ces fruits-là, papa ?
– Des prunes noires, petit.
– Des prunes noires ?
Mais elles sont roses !
– Voyons... Elles sont roses
parce qu'elles sont encore vertes ! »

« Pourquoi les Toctoc
ne jouent-ils pas aux dominos ?
– Parce que c'est un jeu trop
compliqué. Ils n'arrivent jamais
à se rappeler quel est l'atout ! »

« Monsieur, stop, arrêtez-vous !
– Qu'est-ce que j'ai fait ?
– Voyons, ne faites pas l'innocent.
Notre radar vous a repéré.
Vous rouliez à 160 à l'heure.
– C'est impossible : je ne roulais
que depuis 20 minutes ! »

C'est Romuald qui entre dans
une pharmacie :
« Je voudrais des… du… Oh zut,
c'est comment déjà ? Ah oui :
de l'acide acétylsalicylique.
– Certainement, monsieur,
mais vous savez, ça s'appelle
aussi "de l'aspirine".
– Ah voilà, c'est ça ! Je n'arrive
jamais à me rappeler ce nom-là. »

ZZZZZ

« Que fait un journaliste Toctoc lorsqu'on lui offre une nouvelle machine à écrire ?
– Il coupe le ruban pour l'inaugurer. »

On annonce à Hippolyte que le laveur de carreaux s'est tué en tombant du cinquième étage.
« Mon Dieu, s'écrie-t-il, heureusement qu'il n'est pas tombé du quinzième étage ! »

C'est Jules qui bégaie. Il revient voir le médecin qui l'a traité.
Celui-ci demande :
« Ça y est, vous êtes guéri ou vous bégayez encore beaucoup ?
– Oh, nnnn… oonnnn, ddddoc… ttteur ! Sss sss seul… mm mmm ment q q qqqand… j j j jjje p p p p ppppp parle ! »

« As-tu passé une bonne nuit, Léon ?
– J' sais pas, j'ai dormi tout du long ! »

C'est la nuit. Le téléphone sonne chez Raymonde. Elle sursaute, met d'abord un certain temps à réaliser que c'est le téléphone, puis va décrocher.
« Allô ? demande-t-elle d'une voix pâteuse.
– Allô ! C'est Gustave ?
– Euh… non, c'est Raymonde.
– Ah, je ne suis pas chez M. Chartogne ?
– Ben… non.
– Ah, excusez-moi de vous avoir dérangée.
– C'est pas grave, vous m'avez réveillée juste au moment où le téléphone sonnait ! »

Eugène voyage pour la première fois de sa vie en train. Il admire tout et passe son temps, la tête à la fenêtre, à s'écrier :
« Oh, génial ! Bravo ! Bravo !!!
– Ben quoi, qu'est-ce qu'il y a de si extraordinaire ? lui demande son voisin.
– Le conducteur, quel as !
Vous avez vu les tunnels comme ils sont étroits, eh ben, le conducteur, il n'en rate jamais un ! »

« Ils sont vraiment magnifiques, les couchers de soleil que vous avez ici.
– Oui, surtout le soir ! »

« Comment fait un paysan Toctoc pour compter son troupeau de vaches ?
– Il compte les pattes et il divise par quatre ! »

Un attroupement s'est formé dans la rue. Marcel, intrigué, va voir ce qui se passe.
« Pardon, monsieur, pourriez-vous me dire pourquoi vous êtes là et ce que vous regardez ?
– Mon pauvre ami, si vous croyez que je le sais ! Le dernier qui savait pourquoi il était là, il est parti depuis un quart d'heure. »

« Que font les mamans Toctoc lorsque l'eau du bain de bébé est trop chaude ?
– Elles mettent des gants en plastique ! »

Hippolyte est toujours en retard à son travail. Et ce matin, pas de chance, son patron est justement dans le hall d'entrée en train de le regarder.
« Encore en retard ! s'exclame-t-il sur un ton de reproche.
– C'est pas grave, monsieur le directeur, vous voyez, moi aussi ! »

Le bouc de la mère Toctoc est souffrant. Le vétérinaire vient et dit :
« Il est bien malade, votre bouc, madame. Il faut qu'il reste au chaud.
– Je m'en vas l' mettre dans mon lit.
– Vous n'y pensez pas ! Et l'odeur ?
– Ben, faudra qu'il s'habitue ! »

Victor Toctoc vient de se faire construire deux piscines.
Un ami lui demande :
« Mais pourquoi une piscine avec eau et une piscine sans eau ?
– Mon pauvre ami, vous n'imaginez pas le nombre de gens qui ne savent pas nager ! »

« Hé, Émile, pourquoi est-ce que tu dégonfles ton pneu arrière ?
– Parce que la selle est trop haute pour moi, tiens ! »

Depuis le début de son voyage en train, Léon rit comme un fou.
Son voisin lui demande ce qu'il y a de si drôle.
« J'ai fait une blague à la S.N.C.F. J'ai pris un aller retour et je n'ai pas l'intention de revenir ! »

Deux copains se baladent dans la rue. L'un d'eux bégaie.
Une belle fille passe :
« T...t...t'as vvvvv vu l l l la be be belle fi fillle ? dit le bègue.
– Oui, j'ai vu », répond l'autre.
Une autre belle fille passe.
« T... t... t'as v... v... vu l... l... l...
– Ouiiii, j'ai vu ! coupe l'autre excédé.
– A... A... Alors, dit le bègue, p... p... pour pour pourquoi t'as... t'as... t'as... m... m... marché de... de... dedans ? »

Marcel a vu passer une soucoupe volante. Vous savez où ?
Il avait pincé les fesses
de la serveuse du restaurant
dans lequel il déjeunait !

Paulo et Léon Toctoc visitent
un zoo en Angleterre.
« Tiens, un zèbre, dit Paulo.
– Ah non, répond Léon,
ça, c'est un dangerousse.
– Tiens, une girafe, dit Paulo.
– Ah non, répond Léon,
ça, c'est un dangerousse.
– Ça, j'en suis sûr, c'est un lama,
dit Paulo.
– Mais non, c'est encore un
dangerousse, répond Léon agacé.
– Et d'abord, comment tu le sais
que c'est un dangerousse ?
demande Paulo perplexe.
– T'as pas vu l'écriteau à l'entrée :
All the animals are dangerous !
Ça veut dire : *Tous les animaux
sont des dangerousses !* »

« Pourquoi les Toctoc ont-ils
des tartines carrées ?
– Pour pouvoir y mettre
de la confiture de coings ! »

Un chauffeur de poids lourd arrive à la douane. Le douanier lui demande :
« Rien à déclarer ?
– Non. »
Le douanier va vérifier, soulève la bâche et tombe nez à nez avec un éléphant qui a une tranche de pain sous chaque oreille.
« Et ça, qu'est-ce que c'est ? s'exclame-t-il.
– Ça, c'est mon sandwich, et j'ai bien le droit de mettre ce que je veux dedans ! »

« Alors, monsieur Toctoc, comment ça marche, les affaires ? Comment va votre usine d'allumettes ?
– Ne m'en parlez pas, j'ai fait faillite.
– Ah bon ! Qu'est-ce qui s'est passé ?
– Ben, je voulais être sûr de ne pas vendre aux gens des allumettes de mauvaise qualité. Alors je les essayais toutes avant de les mettre dans leur boîte ! »

Marcel va pour la première fois au cinéma. Il achète un ticket, entre, et revient au bout de dix minutes en acheter un autre. Ce manège dure un certain temps. Au dixième ticket, la caissière, intriguée, lui demande :
« Pourquoi achetez-vous autant de tickets ? Un seul suffit. »
Et Marcel répond :
« Moi, je veux bien, mais il y a une folle qui s'obstine à me les déchirer ! »

« D'où viens-tu ?
– De la pêche aux truites.
– Et tu en as pris beaucoup ?
– Aucune !
– Alors, comment sais-tu que c'étaient des truites ? »

« Pourquoi les Toctoc démontent-ils la porte des W.-C. avant d'y aller ?
– Parce qu'ils ont peur qu'on regarde par le trou de la serrure ! »

Victor Toctoc a pris un taxi
pour aller chez des copains.
Comme la circulation est dense,
le chauffeur en profite
pour lui poser une petite devinette :
« La personne à laquelle je pense
a le même père que moi,
la même mère que moi,
et ce n'est ni mon frère
ni ma sœur : qui est-ce ? »
Victor réfléchit longuement,
puis finit par donner sa langue
au chat.
« C'est moi ! » s'exclame
le chauffeur de taxi.
Arrivé chez ses copains,
Victor se dépêche de leur poser
la même devinette :
« La personne à laquelle je pense
a le même père que moi,
la même mère que moi,
et ce n'est ni mon frère
ni ma sœur : qui est-ce ? »
Tout le monde se met à réfléchir,
mais personne ne trouve.
« Alors, qui est-ce ? » demandent
les copains, impatients.
Et Émile, ménageant le suspense,
de répondre :
« C'est un chauffeur de taxi ! »

Le patron à la secrétaire qu'il vient d'engager :
« Je vous félicite pour cette lettre, dit-il. Sept fautes seulement, vous vous améliorez !
– Merci, répond-elle en rougissant.
– De rien, lui dit le patron. Passons maintenant à la deuxième ligne… »

Deux ouvriers se promènent sur un chantier, apparemment sans but précis, lorsqu'ils sont appelés par le contremaître :
« Hé, vous deux ! Qu'est-ce que vous êtes en train de faire ?
– Nous ? Mais on porte ces planches de l'autre côté du chantier.
– Quelles planches ?
– Ben, dis donc, on a oublié les planches ! »

L'entraîneur de l'équipe de football est dégoûté des piètres résultats de ses joueurs. Il les convoque à une réunion et leur déclare : « Avant d'aller plus loin dans l'entraînement, je crois qu'il faut d'abord revenir à quelques notions fondamentales… »
Il prend un ballon et commence :
« Voilà donc un ballon et… »
Un des joueurs l'interrompt alors et lui dit : « S'il vous plaît, pas si vite ! »

Deux Toctoc regardent la télé. C'est l'heure des infos. Le premier reportage concerne une femme qui, debout sur le toit d'un immeuble de 25 étages, menace de sauter dans le vide.
« Je te parie 100 francs qu'elle saute, dit l'un des Toctoc.
– Tenu ! » répond l'autre.
Quelques secondes après, on voit la femme s'écraser sur le trottoir.
Les deux hommes continuent à regarder le reste du journal télévisé.
À la fin, le premier Toctoc dit à son copain :
« Écoute, je te rends tes 100 francs. En réalité, j'ai triché : j'avais vu ce reportage avant sur FR3.
– Moi aussi, mais je ne pensais pas qu'elle le referait à 20 heures ! »

« Pourquoi est-ce qu'Hippolyte a fait 164 fois le tour du pâté de maisons ?
– Son clignotant était coincé ! »

Victor Toctoc est allé se promener à la campagne avec sa petite amie. Soudain, il aperçoit un pré accueillant où l'herbe semble bien tendre. Il ouvre donc la barrière du pré et entraîne sa copine. Ils sont allongés, tendrement enlacés, lorsque la jeune fille s'exclame : « J'ai froid ! » Alors, Victor Toctoc se lève et va fermer la barrière.

« Pourquoi la crème est-elle plus chère que le lait chez les Toctoc ?
– Parce que c'est beaucoup plus difficile de faire asseoir les vaches sur les petits pots. »

Hippolyte avait décidé de traverser le lac d'Annecy à la nage. Mais, arrivé aux trois quarts du parcours, il s'est aperçu qu'il n'avait pas la force d'aller jusqu'au bout. Alors, il a fait demi-tour !

Sur la route, il y a un panneau qui dit : *Travaux ! Route barrée. Passage impossible.*
Et de l'autre côté du panneau, on peut lire : *Déjà de retour ? On vous l'avait dit !*

Marcel va acheter une pizza.
« Je vous l'emballe ? lui demande le vendeur.
– Pas la peine, répond Marcel, je vais la manger tout de suite.
– Bien, monsieur, dit le vendeur. Je vous la coupe en huit morceaux ?
– Non, non, s'exclame, Marcel, coupez-la en quatre ! Je ne pourrai jamais manger huit morceaux. »

Émile essaie de se faire engager dans une ferme. Le fermier lui dit :
« Tiens, prends ce panier et va me cueillir des fraises. »
Émile prend le panier mais ne bouge pas.
« Ben, qu'est-ce que t'as ? lui demande le fermier.
– Rien, répond Émile, mais j'attends l'échelle pour cueillir mes fraises ! »

Dans cette région de marais, il y a un panneau qui dit :
Si ce panneau se trouve entièrement sous l'eau, cette route est fermée à la circulation. Faites demi-tour !

« Comment un Toctoc fait-il cuire une saucisse ?
– D'abord, il l'éventre pour la vider de l'intérieur, ensuite, il la pèle ! »

« Pourquoi est-ce que la ferme de Victor ne produit pratiquement jamais de poulets ?
– Parce qu'il plante les œufs trop profond ! »

« Comment un Toctoc fait-il cuire un gâteau ?
– Il en fait deux : un grand et un petit. Il les met au four en même temps : quand le petit est brûlé, le grand est cuit ! »

Léopold rentre, furieux, dans le magasin d'instruments de musique.
« Qu'est-ce qui se passe, monsieur ? lui demande le patron.
– C'est ce tabouret de piano que je vous ai acheté. J'ai beau le tourner pour le faire monter ou descendre, je n'arrive pas à en tirer une seule note ! »

Un policier croise sur une route
un paysan qui marche
sur le bas-côté en portant
sur le dos un énorme panneau
sur lequel il y a écrit : *Paris.*
« Hé, toi ! interpelle le policier,
qu'est-ce que tu fais avec ça ?
– Je vais à Paris, et je ne veux pas
me perdre en route ! »

Hippolyte roule tranquillement
en voiture. Tout à coup, il aperçoit
un panneau qui dit : *Maxima 40.*
Très respectueux du code
de la route, il ralentit
et ne dépasse pas le 40 à l'heure.
Un peu plus loin, il voit un panneau
qui dit : *Maxima 30.* Il ralentit
encore. Puis apparaissent
successivement des panneaux
disant *Maxima 20* et *Maxima 10.*
À chaque fois, Hippolyte obéit
et se traîne sans comprendre
les raisons de ces limitations.
Jusqu'au moment où il arrive
devant une petite ville à l'entrée
de laquelle il est écrit : *Bienvenue
à Maxima !*

C'est un chanteur Toctoc qui fait une tournée en Espagne.
Il est invité à un dîner de gala et, à la fin, on lui demande de faire un discours. Comme il ne parle pas un mot d'espagnol, il s'est fait écrire le discours par un de ses amis. Le dessert arrive et c'est l'heure pour le chanteur de faire son discours. Il se lève et réalise que son ami a oublié d'écrire le petit mot d'introduction « Mesdames et messieurs ».
Heureusement, il y a deux inscriptions sur les deux portes au fond de la salle et il s'en inspire pour commencer son allocution.
Lorsqu'il a terminé, sous des tonnerres d'applaudissements, le chanteur se tourne vers son voisin et lui demande :

« Alors, qu'avez-vous pensé de mon discours ?
– Très bon, mais, chez nous, nous commençons en général par "Mesdames et messieurs", jamais par "Toilettes et urinoirs". »

Un touriste échange quelques mots avec un agriculteur Toctoc :
« Combien de litres de lait donnent vos vaches ?
– Laquelle : la noire ou la blanche ?
– Disons la blanche.
– 10 litres.
– Et la noire ?
– 10 litres aussi.
– Et qu'est-ce que vous leur donnez à manger ?
– À la blanche ou à la noire ?
– À la blanche.
– De la luzerne.
– Et à la noire ?
– De la luzerne aussi.
– Écoutez, si tout est pareil chez vos vaches, pourquoi est-ce que vous me demandez chaque fois si je parle de la blanche ou de la noire ?
– Parce que la blanche est à moi.
– Ah bon ! Et la noire ?
– La noire aussi ! »

Lu dans un journal Toctoc :
Participez à notre grand concours de mots croisés. Remplissez la grille ci-contre et gagnez jusqu'à 10 000 francs.
Pour ceux qui veulent simplement faire ces mots croisés pour s'amuser, sans participer au concours : la solution se trouve en page 65.

Une dame se tient depuis plusieurs minutes sur le seuil de la boutique d'un photographe.
« Vous voulez faire des photos, madame ? lui demande celui-ci.
– Oui, oui, mais j'attends qu'une autre cliente arrive, je ne veux pas être la première.
– Ah bon ? s'étonne le photographe. Mais pourquoi ?
– C'est à cause de votre panneau dans la vitrine, celui qui dit : *Excellentes photos à la seconde !* »

« Mon pauvre Jules, tu t'es cassé la jambe !
– Oh oui, tu sais ce que c'est, j'ai voulu ramasser des feuilles.
– Et tu as glissé ?
– Non, je suis tombé de l'arbre ! »

« Pourquoi Raymonde Toctoc
se promène-t-elle dans le Sahara
avec une porte de voiture ?
– Pour baisser la vitre s'il fait
trop chaud ! »

« Si tu me dis combien
j'ai de bonbons dans la main,
je te les donne tous les deux.
– Tu en as trois.
– Bravo, tu as gagné ! »
Et il lui donna les quatre bonbons
qu'il avait dans la main !

Paulo et Pedro viennent tout juste
d'être condamnés et mis
dans la même cellule :
« Moi, j'ai écopé une peine
de 20 ans. Et toi ?
– Moi, le juge m'a donné 10 ans.
– Alors, prends le lit près de la porte,
car tu vas sortir le premier ! »

Léontine a décidé de faire un régime. La première semaine, elle a perdu deux kilos ; la deuxième semaine, elle a perdu trois kilos ; et la troisième semaine, elle a perdu sa culotte !

Léontine vient d'acheter une télévision pour la première fois de sa vie, et, emballée, elle regarde tout ce qui passe. Le premier soir, il s'agit d'un match de football. Le lendemain, c'est un match de rugby qui est retransmis. Furieuse, elle se précipite au téléphone et appelle le vendeur :

« Mon poste est déréglé.

– Vous êtes sûre ?

– Évidemment : hier, le ballon était rond, et aujourd'hui, il est ovale ! »

Victor Toctoc trouve qu'il est plus facile de se laver les dents dans un verre à pied que les pieds dans un verre à dents !

Victor Toctoc a décidé
de rentrer dans la police. Mais
il doit passer un petit examen :
« Quelle est la couleur du drapeau
français ?
– Bleu, blanc, rouge.
– Qu'est-ce qu'on fête le 14 juillet ?
– La Révolution française.
– Qui a tué Louis XVI ?
– ????? »
Le soir, il rentre chez lui et dit
à sa femme :
« Je crois que j'ai bien réussi mon
examen, car on vient de me confier
ma première affaire de meurtre ! »

Lucien vient de se marier. À l'issue
de la cérémonie, un copain l'entraîne
dans un coin et lui demande :
« Franchement, pourquoi l'as-tu
épousée ? Elle est grosse,
elle louche, elle boite,
elle a des dents en moins…
– Tu peux parler plus fort,
interrompt le marié, car en plus
elle est sourde ! »

« Qu'est-ce que vous faites ?
– Vous voyez bien, j'arrose
mes fleurs.
– Mais elles sont en plastique !
– Je le sais bien. C'est pour ça que
je n'ai pas mis d'eau dans mon
arrosoir ! »

Deux soldats Toctoc dorment
au pied d'un arbre. Soudain,
un horrible bruit les réveille.
« Zut ! Un orage !
– Non, ce sont des bombes.
– Ah, tant mieux, j'ai peur
du tonnerre ! »

BOM
BAM
BOU

Au fou, les pompiers !

Deux amis prennent un verre tranquillement, quand l'un remarque que l'autre porte une chaussette rouge au pied droit et une chaussette verte au pied gauche. Il lui dit alors :
« Dis donc, une paire de chaussettes comme les tiennes, ça doit être rare !
– Pas tellement, répond l'autre, j'ai la même paire à la maison ! »

À l'école...
« Mes enfants, dit l'instituteur, compte tenu qu'une baignoire se vide en dix minutes, que le train met quatre heures cinquante-deux pour arriver à Paris, que ma crémière a les yeux verts, quel est mon âge ?
– Vous avez 44 ans, m'sieur !
– Formidable, c'est ça ! Comment as-tu trouvé si vite, mon petit ?
– Ben, m'sieur, mon frère, il est à moitié dingue et il a 22 ans ! »

Dans une clinique, une dame refuse de sortir de sa chambre. Elle passe tout son temps à écrire.
« Qu'est-ce que vous écrivez ? lui demande l'infirmière.
– J'écris une lettre.
– À qui ?
– À moi !
– Bravo ! Et qu'est-ce que vous vous racontez ?
– Je ne sais pas, je n'ai pas encore reçu ma lettre ! »

Jules parle avec son copain René devant un verre de rouge :
« Tu sais, il faudrait me payer cher pour que j'aille en Angleterre.
– Et pourquoi ?
– Parce que, là-bas, ils conduisent à gauche.
– Et alors ?
– Alors ? J'ai essayé l'autre jour, sur les Champs-Élysées, eh ben, dis donc, c'est drôlement difficile ! »

Un monsieur vert est sur une route verte. Il est renversé par un autobus vert. On le transporte dans une ambulance verte et il arrive dans un hôpital vert, une porte verte s'ouvre et le chirurgien entre. Il est rouge, avec les yeux rouges, des dents rouges, une blouse rouge… Il s'était trompé d'histoire !

C'est Pierre et Paul qui entrent dans un immeuble. Pierre dit à Paul :
« Appelle l'ascenseur ! »
Alors, Paul crie :
« Ascenseur, ascenseur ! »

« Pourquoi ne peut-on jamais trouver de bienfait ?
– Parce qu'un bienfait n'est jamais perdu ! »

Jules et Jim doivent partir en voiture.
« Descends un peu, dit Jules.
Je ne suis pas sûr
que les clignotants marchent. »
Jim descend et Jules
met en marche les clignotants :
« Alors, ça marche ?
– Ben, ça marche, ça marche pas,
ça marche, ça marche pas… »

Albert discute avec son voisin :
« Je crois bien que ma femme
est un peu gamine.
– Ah bon ? demande le voisin.
– Ben oui, l'autre jour,
elle est entrée dans la salle de bains
alors que je me relaxais
dans la baignoire. Et elle m'a coulé
tous mes canards en plastique ! »

« Pardon, monsieur, vous êtes de Mont-de-Marsan ?
– Oui, monsieur, parfaitement !
– Vous pouvez me dire comment ils s'appellent, les habitants de Mont-de-Marsan ?
– Excusez-moi, mais je ne les connais pas tous ! »

Deux fous sont sur un court de tennis.
« Out ! dit le premier.
– Septembre ! » répond le second.

Léon est venu rendre visite à son copain Marcel. Celui-ci revient de la chasse et une superbe tête de sanglier orne le dessus de la cheminée. Léon admire, en sifflant, la tête de sanglier, puis demande : « Je peux passer dans la pièce à côté pour voir à quoi ressemble le corps ? »

Pedro roule fièrement
sur sa bicyclette, lorsqu'il croise
un de ses amis :
« Arrête, arrête-toi tout de suite !
– Qu'est-ce qu'il y a ?
– C'est grave, t'as une roue
qui tourne. »
Pedro s'arrête et regarde ses roues :
« Tu dis n'importe quoi. Tu vois
bien qu'elles ne bougent pas ! »

Duchmoll rencontre son ami
Tatasse poussant un tonneau
devant lui.
Assez surpris, car il sait
que son ami n'a pas l'habitude
de boire de l'alcool, il lui
demande :
« Ben, où tu vas ?
– Chez le docteur !
– Et tu lui apportes un tonneau !
C'est pour le remercier de quelque
chose ?
– C'est lui qui me l'a demandé !
La dernière fois que je l'ai vu,
il m'a demandé de revenir
dans six mois… avec mes urines ! »

« Tu connais l'histoire
du lit vertical ?
– C'est une histoire
à dormir debout ! »

Eugène emmène son âne au marché, lorsqu'il arrive à un endroit où le chemin passe sous un pont qui est très bas. Il sort alors un marteau et commence à desceller les pierres du pont.
« Arrêtez, arrêtez, lui crie un policier qui passait par là. Qu'est-ce que vous êtes en train de faire ?
– Le pont est trop bas, explique Eugène, et mon âne ne peut pas passer en dessous.
– Mais vous êtes fou ! s'exclame le policier. Dans ces conditions, pourquoi est-ce que vous ne creusez pas le sol ?
– C'est vous qui êtes fou, répond Eugène. C'est pas ses pattes qui sont trop longues, c'est ses oreilles ! »

Jules et Jim se rencontrent dans la rue. Jules porte un gros pansement autour du doigt.
« Qu'est-ce qui t'est arrivé ? lui demande Jim.
– C'est rien, je me suis brûlé avec une casserole d'eau bouillante.
– Enfin, c'est pas possible, tu aurais quand même pu penser à mettre un doigt avant pour vérifier que l'eau n'était pas trop chaude ! »

C'est deux fous qui discutent. Le premier dit à l'autre :
« T'as vu, moi, je suis si grand que, pour me peigner, je suis obligé de monter sur une chaise.
– Peuh, c'est rien. Regarde-moi. Je suis si grand que j'ai toujours un nuage dans l'œil ! »

Deux fous s'échappent de l'asile par les toits. L'un d'eux fait glisser une tuile. Un gardien demande :
« Qui est là ? »
En guise de réponse, le fou miaule et le gardien est rassuré.
Mais le second fou fait glisser une autre tuile. Le gardien demande à nouveau :
« Qui est là ?
– C'est le second chat ! »

« Quand un fou n'a pas de vêtements, qu'est-ce qu'il fait ?
– Il prend un stylo, parce que le stylo à bille. »

(Habille)

Dialogue entre un serpent et un chien…
« Pourquoi tu m'as marché sur les pieds ? demande le serpent.
– Mais, un serpent, ça n'a pas de pieds ! » rétorque le chien.
Alors le serpent part en haussant les épaules !

Des petits vieux jouent aux boules devant un asile de fous.
L'un jette sa boule trop fort et elle entre dans l'asile.
Le bonhomme va la chercher et croise un médecin qui lui demande :
« Que faites-vous ici ?
– Je suis ma boule !
– Ça tombe bien, je suis psychiatre ! »

C'est un poissonnier qui dit
à sa cliente :
« Elles sont belles, mes huîtres…
– Non, merci, jamais d'huîtres,
je ne les digère pas.
– Même quand elles sont fraîches ?
– Mais comment être sûre
qu'elles sont fraîches ?
– En les ouvrant, vous voyez
tout de suite !
– Ah, il faut les ouvrir ? »

« Pourquoi les allumettes
pleurent-elles en brûlant ?
– Parce qu'elles souffrent ! »

C'est deux fous qui jouent
avec des hachettes…
« Qu'est-ce que vous faites
avec ça ? leur demande l'infirmier.
– Rien, on veut juste se fendre
un peu la pipe ! »

Lulu a été engagé à l'observatoire
de Paris pour y faire le ménage.
Il remarque un astronome qui
s'approche d'un télescope et qui
visse son œil dans l'oculaire. Et deux
minutes plus tard, voyant tomber sur
Terre une étoile filante, il s'exclame :
« Ouah ! Quel bon tireur ! »

Patou et Béa se promènent sur une plage. Soudain, Patou s'écrie :
« Un crabe vient de me pincer l'orteil !
– Lequel ? demande Béa.
– Comment veux-tu que je le sache ? Pour moi, tous les crabes se ressemblent ! »

Roberte aligne soigneusement des petits cailloux sur la pelouse.
« Qu'est-ce que vous faites avec ces cailloux ? lui demande un médecin qui l'observe depuis un bout de temps.
– C'est pour éloigner les extraterrestres.
– Mais il n'y a pas d'extraterrestres.
– Ah, vous voyez bien que c'est efficace ! »

Gaston et Berthe sont attablés à la terrasse d'un café. Gaston arrête la serveuse et lui lance :
« Mon verre est vide, apportez-m'en un autre. »
Et Berthe s'étonne :
« Enfin, qu'est-ce que tu veux faire d'un second verre vide » ?

Un fou regarde par-dessus
le mur de son asile et demande
à un passant :
« Vous êtes nombreux, là-dedans ? »

C'est Paulot qui en est à sa 88e
contravention. Il s'en plaint
à son copain Pierrot.
« Mais enfin, lui dit celui-ci,
pourquoi est-ce que tu ne mets
pas de sous dans le parcmètre ?
– Mettre des sous dans le parcmètre !
Ah oui, vraiment ! Quelle arnaque,
il n'y a jamais une seule boule
de chewing-gum qui tombe ! »

Camille part en vacances
à Chamonix.
« Je vais aller sur le glacier
du mont Blanc, explique-t-elle
à sa sœur Isabelle. Je casserai
un petit bout de glace
et je te l'enverrai.
– Mais tu es folle ! Le temps que
je le reçoive, il n'y aura plus rien !
– Ne t'inquiète donc pas !
lui dit Camille d'un ton rassurant.
Personne ne va s'amuser à voler
un morceau de glace
dans une enveloppe cachetée. »

Un malade se précipite chez son médecin :
« Docteur, faites-moi vite un vaccin antibritannique, je viens de me blesser avec une clé anglaise ! »

Deux fous marchent dans la rue lorsque, soudain, l'un dit à l'autre :
« Regarde, un oiseau mort ! »
Le second lève alors les yeux vers le ciel et demande :
« Où ça ? »

Un homme se promène avec une banane dans l'oreille. Un autre monsieur s'approche et lui dit :
« Pardon, monsieur, vous avez une banane dans l'oreille !
– Comment ?
– Vous avez une banane dans l'oreille !
– Quoi ?
– Vous avez...
– Mais parlez plus fort ! Vous voyez bien que j'ai une banane dans l'oreille ! »

Un gars s'assoit sur une branche
et entreprend de la scier.
Un voisin passe qui lui dit :
« Faites pas ça.
– Quoi ?
– Vous sciez la branche
sur laquelle vous êtes assis.
Vous allez tomber avec elle.
– De quoi je me mêle ? Je scie
ma branche comme je veux.»
Le voisin s'éloigne, et le type
continue allégrement de scier
sa branche. Et bien sûr,
quand elle est sciée, il fait,
avec elle, une belle chute.
À moitié groggy, il se dit alors,
en pensant à son voisin
de tout à l'heure :
« Bon sang ! Si j'avais su
qu'il prévoyait l'avenir,
je l'aurais écouté ! »

C'est un fou qui se contemple
dans sa brosse à cheveux.
« Tiens, dit-il, je ne me suis pas
rasé ce matin ! »

« Quel poisson est complètement
fou ?
– Le requin-marteau ! »

Il pleut. Une femme arpente la rue piétonne en poussant un landau. Un type, un peu dragueur sur les bords, s'approche et regarde à l'intérieur.
« Mais, dit-il à la dame, votre bébé est en plastique ?
– Évidemment, répond-elle. Par ce temps, vous ne croyez pas que je vais sortir le vrai ! »

Dans le jardin d'un hôpital psychiatrique, un infirmier cherche une dizaine de patients qui ont disparu depuis quelques heures. Soudain il les aperçoit : ils sont tous perchés dans un grand arbre.
« Qu'est-ce qui se passe ? Vous vous prenez pour des oiseaux ?
– Non, vous voyez bien qu'on est devenus des feuilles.
– Des feuilles ? Ah mais oui, bien sûr ! Mais, maintenant, vous allez descendre.
– Impossible ! On attend l'automne ! »

Régina, tout juste débarquée de son village natal, vient d'être embauchée chez un cafetier. Celui-ci dit : « C'est ennuyeux, des clients ont cassé une vitre. Va vite chez le vitrier… »
Régina court et demande :
« Je voudrais une vitre de 40 x 70 cm. »
Blagueur, le vitrier répond :
« Je n'en ai plus de cette taille, mais j'en ai une de 70 x 40 cm. Ça fera l'affaire ?
– Oh oui ! je crois. Je la mettrai de travers, et personne ne remarquera rien !

« Que dit une cigarette amoureuse lorsqu'elle va être allumée ?
– Viens, mon briquet ! »

Il y a 40 ans, les gens n'avaient que la télé en noir et blanc. Mais, un jour, Jules apprend qu'on peut avoir désormais la télé en couleurs. Il va dans un magasin et demande :
« C'est vrai que vous avez des télés couleur ?
– Mais bien sûr, monsieur !
– Alors, donnez-m'en une jaune ! »

Dans un couloir d'hôpital mal éclairé, un fou affirme à l'un de ses camarades :
« Je parie que tu n'arrives pas à grimper sur le rayon de ma lampe de poche !
– Peuh, c'est fastoche.
– Alors, vas-y !
– Tiens, pas si fou ! Dès que je serai là-haut, tu vas en profiter pour éteindre la lampe ! »

Un vendeur essaie de persuader Jo d'acheter une valise.
« Mais qu'est-ce que je pourrais bien faire d'une valise ? demande Jo.
– Plusieurs choses, explique le vendeur. Par exemple, vous pourriez mettre vos vêtements dedans.
– Quoi ! s'exclame Jo. Et me promener tout nu ! »

Li Hu, un fermier chinois, part
au marché sur son âne. En route,
il croise un riche marchand
monté sur un beau cheval.
Li Hu descend de son âne,
salue le marchand et lui demande :
« Échangerais-tu ta monture
contre la mienne ?
– Bien sûr que non, lui répond
le marchand, tu es fou ?
– Moi non, dit le fermier,
mais je pensais que vous l'étiez
peut-être. »

L'avion vient de décoller
de l'aéroport, lorsque le pilote
se précipite au milieu
des passagers et part d'un rire
hystérique.
« Qu'est-ce qui se passe ?
lui demande un passager.
– Rien, répond le pilote,
je pense seulement à la tête
qu'ils vont faire, à l'asile,
quand ils s'apercevront
que je me suis échappé ! »

« Que dit une porte en colère
à son système d'attache
qui la soutient très mal ?
– Vous n'êtes que des gonds
à rien ! »

« Docteur, ma femme est très
cruelle.
– Racontez-moi ça, mon pauvre
ami. Elle vous martyrise ?
– Oui. Elle fait toute une histoire
parce que je préfère les chaussettes
de nylon aux chaussettes de laine.
– Mais, moi aussi, je préfère
les chaussettes de nylon.
– Ah, vous aussi ? Et vous les aimez
comment : frites ou bouillies ? »

Un fou entre paniqué chez
le médecin :
« Docteur, il faut absolument
faire quelque chose pour moi,
j'entends des voix.
– Ah, tiens ! Et qu'est-ce qu'elles
vous disent ?
– Je ne sais pas, justement,
je suis un peu sourd ! »

C'est un vieux paysan qui n'est jamais sorti de sa campagne. Il va rendre visite à son neveu, installé à la ville. Les deux hommes visitent les monuments, vont au restaurant, et le jour du départ arrive. Le vieux paysan dit à son neveu :

« Tu sais, je ne veux pas prendre un taxi pour aller à la gare. Ce serait gaspiller de l'argent inutilement.
– Pas de problème, mon oncle, tu peux aller à la gare en bus. Tu prends le 21, l'arrêt est juste en bas de chez moi. »
Et l'oncle s'en va...
Trois heures plus tard, le neveu descend pour acheter un paquet de cigarettes. Et il trouve son oncle dans la rue, en train d'attendre son bus.
« Mais qu'est-ce que tu fais là ? Tu n'es pas encore parti ?
– Bien sûr que non. Je ne voulais pas me tromper de bus. Tu m'as dit que c'était le numéro 21 et, pour l'instant, il n'en est passé que 14 ! »

Des employés du téléphone sont en train d'installer une ligne dans la campagne.
Jules et Jim, qui n'ont rien à faire, les regardent travailler. Puis Jules finit par dire : « Ces types de la ville ne connaissent vraiment rien à l'élevage. Les fils sont trop hauts : n'importe quelle vache va pouvoir passer dessous ! »

Un médecin surprend un de ses malades en train de se tremper les pieds dans une bassine.
Et, dans la bassine, il jette une poudre blanche.
« Tiens, vous utilisez du savon en poudre ? s'étonne le médecin.
– Pas du tout, je jette de la poudre insecticide parce que j'ai des fourmis dans les jambes ! »

« À quoi voit-on qu'un homme est très courtois ?
– Parce qu'il refuse de battre un jeu de cartes sous prétexte qu'il y a des dames dedans ! »

Jules a besoin d'un nouveau cheval. Il va voir un marchand qui lui fait l'article :
« J'ai un cheval fantastique, tout à fait ce qu'il vous faut.
Il est tout noir, en excellente santé, et il court 20 km sans s'arrêter.
– Ah ben non ! s'exclame Jules.
Moi, j'habite à 25 km d'ici.
Si j'achète un cheval, c'est quand même pas pour faire 5 km à pied chaque fois que je vais en ville ! »

Dans les bureaux de l'armée, un vieux sergent-chef inscrit dans les registres une nouvelle recrue :
« Quelle place comptez-vous occuper dans l'armée ?
– Je voudrais être général.
– Mais vous êtes fou !
– Non. C'est nécessaire ? »

Jules et Jo se promènent le long d'une voie ferrée.
« J'ai jamais vu un escalier aussi long, dit Jules.
– Et pourquoi la rampe est-elle placée si bas ? dit Jo.
– T'inquiète pas, on est au bout de nos peines : voilà l'ascenseur qui arrive ! »

Jules demande à Jim :
« Quelle heure est-il ?
– Je ne sais pas, ça change tout le temps. »

Repas du soir. Madame apporte le dîner.
« Qu'est-ce que c'est que ça ? demande le mari.
– Ben, c'est l'oiseau que tu m'as apporté tout à l'heure, répond madame en commençant à découper un volatile rôti à point.
– Mais t'es complètement folle. C'était un perroquet. Et qui parlait parfaitement.
– Il parlait, il parlait... Alors, il n'avait qu'à le dire ! »

Une dame va consulter un psychiatre :
« Quel est votre problème, madame ?
– Moi, je vais bien, mais mon mari est un peu dérangé : il se prend pour un réfrigérateur.
– Est-ce qu'il en souffre ?
– Pas du tout.
– Dans ces conditions, pourquoi voulez-vous le faire soigner ?
– C'est qu'il dort la bouche ouverte. Alors, vous comprenez, moi, la petite lumière, ça me gêne ! »

Que disent deux fous qui se rencontrent ?
« Oh, ça fait un temps fou qu'on ne s'est vus !
– Oui, ça me fait un plaisir fou de vous rencontrer. »

Le grand chef indien trouve son nom trop long. Il se rend donc à la mairie, pour le changer. On lui demande :
« Comment vous appelez-vous ?
– Le-Chant-de-la-petite-locomotive qui-court-gaiement-dans-la-vallée-verdoyante.
– Et vous voulez vous appeler comment ?
– Tutt-tutt ! »

« Mais il est bien, ce pantalon : qu'est-ce que vous lui reprochez ? demande le tailleur.
– Eh bien, il me serre un peu sous les bras ! »

Un monsieur est sur le point d'entrer dans une boutique, lorsqu'il voit un panneau fixé sur la porte :

Ici on parle anglais.
Alors il fait demi-tour et s'en va :
il ne parle pas anglais !

Deux cow-boys discutent
dans un saloon :
« Alors, et cette bagarre avec ton
voisin de ranch : as-tu enfin enterré
la hache de guerre ?
– Non, pas la hache : le voisin ! »

« Marguerite, demande madame
la baronne à sa bonne,
où est la lettre que j'avais posée
là sur la table ?
– Je l'ai postée, madame.
– Postée ? Mais vous êtes folle !
Je n'avais pas mis l'adresse.
– Madame, j'ai cru que c'était
parce que vous ne vouliez pas
que je sache à qui vous écriviez ! »

Un homme va chercher
des cigarettes. Comme il n'en a
que pour quelques secondes,
il laisse la portière de sa voiture
ouverte.
À son retour, un agent l'attend
et lui dit :
« Monsieur, quand vous êtes garé
sur un passage clouté, ce n'est
pas une portière, mais deux
qu'il faut laisser ouvertes pour
permettre aux piétons de passer. »

Deux fous creusent un trou.
« C'est vraiment un beau trou,
dit l'un. Emportons-le. »
Et ils mettent le trou dans
la camionnette. En cours de route,
un des fous se retourne
et s'exclame :
« Nous avons perdu le trou !
– C'est rien, on va reculer pour
le retrouver. »
Il fait marche arrière et la
camionnette tombe dans le trou !

« Pourquoi les squelettes
n'ont-ils pas de calculatrice
de poche ?
– Parce qu'ils n'ont pas de poche ! »

« Pourquoi l'homme invisible
se regarde-t-il dans un miroir ?
– Pour être certain qu'il n'est pas là ! »

On sonne à la porte d'entrée.
Charlotte va ouvrir et se trouve devant un homme qui lui demande :
« Ta maman est là ? »
Elle court vers sa maman, à l'intérieur de l'appartement, et revient en disant :
« Ma maman, elle a dit de dire qu'elle n'était pas là.
– Dans ce cas, répond l'homme, tu lui diras que je ne suis pas venu ! »

Hold-up à Paris. On a volé trente kilos de salades et cinquante cartouches de cigarettes.
L'inspecteur passe à la télévision :
« Alors, l'inspecteur, où en est l'enquête ?
– Eh bien, elle avance.
Nous sommes actuellement à la recherche d'un lapin qui tousse ! »

« Docteur, ma femme se prend pour moi.
– Bon, eh bien, amenez-la-moi !
– Inutile, je suis là, docteur ! »

Pas si bêtes !

Un homme entre chez un marchand d'animaux pour acheter un perroquet parlant anglais. Le marchand en a justement un, bilingue,
qui a une ficelle à chaque patte.
« Si vous tirez sur la gauche,
il parle anglais, et si vous tirez
sur la droite, il parle français,
dit le marchand.
– Et si je tire sur les deux en même temps ? demande l'homme.
– Je me casse la gueule », répond le perroquet.

« Avec quoi les éléphants
se nettoient-ils les dents ?
– Avec une grosse à dents. »

À Hollywood, deux chèvres
se rencontrent près d'un studio
de cinéma. L'une d'elles achève
de brouter un morceau de pellicule.
« Comment avez-vous trouvé
le film ? lui demande sa copine.
– Pour tout vous dire, nettement
moins bon que le livre ! »

« Comment appelle-t-on, dans le Sahara, une caravane qui passe une fois par semaine ?
– Une caravane hebdromadaire ! »

« Papa, qu'est-ce qui est violet avec huit pattes jaune fluo et de grandes antennes rouges ?
– Tu sais, je ne suis pas très fort en devinettes. Qu'est-ce que c'est ?
– Je ne sais pas, mais tu en as un dans le cou ! »

Un explorateur fait admirer sa nouvelle carpette à un ami.
« J'ai tué ce tigre au péril de ma vie, raconte-t-il. C'était lui ou moi.
– Oh, c'est mieux ainsi, lui dit l'ami. Le tigre fait une bien plus jolie carpette ! »

Chez le droguiste…
« Vous avez quelque chose de bon pour les cafards ?
– Prenez ce produit, il est très efficace.
– Vous vous fichez de moi, il n'est pas bon pour les cafards ! Je vois bien qu'il les tue. »

« Que dit un tigre en mal d'amour à une tigresse ?
– Nous sommes félins pour l'autre ! »

(Faits l'un)

Deux jeunes demoiselles crevettes discutent ensemble…
« Tu sais, dit l'une, ta voisine épouse le gros crabe qui vit sous le rocher. Il en pinçait pour elle depuis longtemps !
– Ça, c'est le bouquet », dit l'autre.

« À quelle heure es-tu rentrée cette nuit ? demande Mme Kangourou à sa fille.
– Pas très tard, maman, je te le jure.
– Ne mens pas, je le vois bien, tu as des poches sous les yeux. »

Deux chevaux visitent un zoo, quand ils parviennent devant la cage des zèbres.
« Tiens, voilà le coin des prisonniers ! » disent-ils.

M. et Mme Mille-Pattes
se promènent toujours ensemble,
et comme ils sont très amoureux,
ils vont bras dessus, bras dessous,
bras dessus, bras dessous,
bras dessus, bras dessous,
bras dessus, bras dessous…

Deux amis des animaux discutent…
« Mon chien est merveilleux, dit l'un. Dès que je rentre du bureau, il m'apporte mes pantoufles.
– Mon cochon est encore mieux. Dès qu'il me voit avec une bouteille de vin, il met sa queue en tire-bouchon ! »

Une maman oiseau dit à une autre :
« Mon fils est encore un bébé. Il croit toujours qu'il est né dans un appareil-photo ! »

M. Girafe s'est enfin décidé à faire sa déclaration à sa petite amie. Il s'approche en rougissant et lui dit :
« Je t'aime beau cou… »

Deux jeunes kangourous, tous les deux amoureux, se retrouvent pour quelques confidences…
« Alors, comment ça s'est passé avec elle, hier ? demande le premier.
– Bof, pas très bien. Et toi ?
– Super, c'est dans la poche ! »

Une jeune cigale est en vacances. Elle arrive sur une plage, installe sa serviette, s'enduit copieusement de crème solaire et s'allonge paresseusement en disant :
« Grillons ! »

C'est un petit cochon qui pleure. Sa maman lui dit :
« Fais rillettes à maman ! »

Deux jolies demoiselles poissons se rencontrent au fond de la mer :
« Tiens, dit l'une, j'ai vu ton thon hier.
– Mon oncle ?
– Non, ton fiancé ! »

Ce sont deux grenouilles anglaises qui invitent deux amies françaises à prendre le thé.
Les deux Françaises sont étonnées :
« Oh, vous prenez le thé tôt en Angleterre !
– Ah oui, répondent les deux grenouilles anglaises.
Mais pourquoi donc, en France, prenez-vous le thé tard ? »

« Quelle différence y a-t-il entre un gavial et un alligator ?
– Aucune, c'est caïman la même chose ! »

« Que dit une maman éléphant à son petit lorsqu'elle prend son bain ?
– Défense d'y voir ! »

Deux moutons sont dans un pré. L'un se lave les dents. L'autre lui demande :
« Qu'est-ce que tu fais ?
– Je me lave les dents pour garder l'haleine fraîche ! »

(La laine)

Deux vaches bavardent dans un pré :
« Comment va votre petit dernier ?
– Oh ! De pis en pis ! »

C'est le printemps. Max, le ver de terre, rencontre un autre ver de terre et se lance dans une longue histoire. Au bout d'un moment, voyant que son copain ne répond pas, il le regarde attentivement et s'exclame :
« Oh ! Zut ! J'ai encore pris ma queue pour quelqu'un d'autre ! »

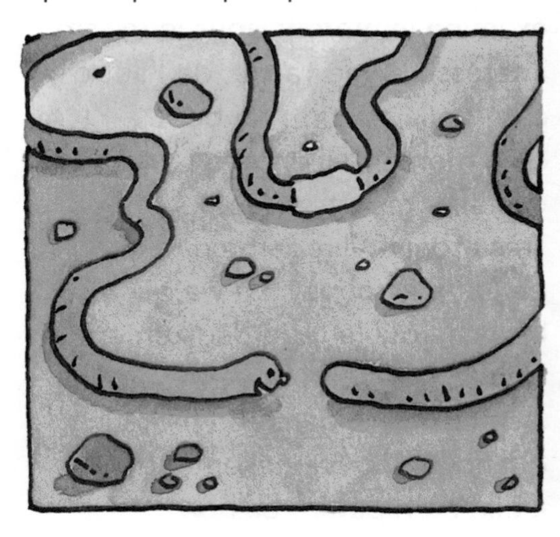

« Pourquoi le poulpe
ne se trompe-t-il jamais
lorsqu'il fait une multiplication ?
– Parce qu'il fait la pieuvre
par neuf ! »

C'est un automobiliste
qui tombe en panne devant
une ferme. Il ouvre son capot,
examine le moteur, sous le regard
intéressé d'une vache, de l'autre
côté de la clôture. Au bout
d'un moment, il entend :
« Elle ne repartira pas ! »
Très étonné, il regarde autour
de lui : personne ! Il n'y a que
la vache qui le regarde fixement.
Bon, il a mal entendu.
Il se replonge dans son moteur,
quand, à nouveau, il entend :
« Elle ne repartira pas ! »
Il se redresse encore une fois.
Toujours personne, et toujours
cette vache qui le regarde fixement !
À ce moment, il aperçoit le fermier
qui arrive pour la traite. Très content
de trouver quelqu'un à qui exposer
son problème, il lui dit :
« Je n'y comprends rien.
On dirait que votre vache parle
de ma voiture...
– Ne l'écoutez pas : elle n'y connaît
rien en mécanique ! »

Le lion a toujours pensé qu'il était le roi des animaux. Mais il veut qu'on le lui dise. Il va trouver une gazelle :
« Roooarrrr… dis-moi, qui est le roi des animaux ?
– C'est toi, seigneur lion », répond la gazelle en tremblant. Il va trouver un éléphant et lui saute dessus :
« Roooarrrr… qui est le roi ici ? »
L'éléphant, furieux, le jette à terre. Alors, le lion, vexé, s'en va la queue basse en grommelant :
« Si on ne peut même plus demander un renseignement… »

« Le chien de ma voisine est tellement poilu qu'il est impossible de savoir où est sa tête et où est sa queue…
– C'est très simple : tire-lui la queue. Tu verras bien : s'il te mord, c'est la tête ! »

Dans la forêt, un jeune corbeau demande à un rouge-gorge :
« Tu viens jouer dans mon arbre ?
– Pas possible, répond fièrement le rouge-gorge. Ma mère m'interdit de fréquenter les blousons noirs ! »

« Quel est le rêve de tous les chiens ?
– Se marier et avoir une nuit de n'os ! »

Maître lion est avocat. Il a entendu parler d'un procès entre un éléphant et une petite souris. Il va trouver l'éléphant et lui dit :
« Je vais prendre votre défense !
– Pas question, répond l'éléphant, j'y tiens beaucoup ! »

En vacances dans le Massif Central, un touriste demande à une bergère :
« Vous avez beaucoup de moutons. Combien au juste ?
– Je ne sais pas, répond la bergère. À chaque fois que je les compte, je m'endors ! »

C'est un étudiant qui entre chez un marchand d'animaux et qui demande :
« Je voudrais une douzaine de souris, onze cafards et quinze araignées.
– Ah, je vois, vous cherchez à faire des expériences scientifiques ! dit le marchand.
– Pas du tout ! Je quitte mon appartement et je dois le rendre dans l'état où je l'ai trouvé ! »

« Pourquoi les ours portent-ils des manteaux de fourrure ?
– Parce qu'ils auraient l'air ridicule en imper plastique ! »

C'est une dame qui dit à une amie :
« J'ai perdu mon chien, et pourtant j'y étais très attachée. »

Deux chiens passent devant un magasin sur la porte duquel il est écrit :
Entrée interdite aux chiens.
« Qu'est-ce qu'on fait ? demande l'un d'eux.
– Bah, on entre. On n'est pas censés savoir lire. »

« Pourquoi les poules traversent-elles toujours la route devant les voitures ?
– Pour aller de l'autre côté ! »

« Que dit un grand duc,
le Premier de l'An, à sa femme ?
– Je vous chouette une bonne
année ! »

Le dompteur rentre au cirque
à deux heures du matin,
une couverture sous le bras, et va
se coucher dans la cage aux lions.
« Qu'est-ce que vous faites là ?
lui demande le gardien de nuit.
– Je préfère venir dormir ici.
À l'hôtel, c'est plein de souris ! »

Un couple arrive dans une forêt
pour pique-niquer. La femme dit
avec autorité :
« C'est le coin idéal pour s'arrêter.
– Oui, répond le mari avec
résignation. Cinquante millions
de fourmis ne peuvent pas
se tromper ! »

« Écurie est une commune
du Pas-de-Calais. Comment
s'appelle son maire ?
– M. Poulain ! »

Un chien portant une muselière passe devant une cage où sautille un petit oiseau. L'oiseau le regarde et dit :
« Chien, mon ami, comme tu es heureux !
– Comment ça ?
– Mais oui. Toi, tu n'as que la tête en cage ! »

« Qu'est-ce qui suit toujours un chat noir ?
– Sa queue ! »

À la salle des ventes de Versailles, on met aux enchères un perroquet : 500, 800, 1 000, 2 000 francs ; le perroquet se vend très cher. Mais Mme Duchmoll le voulait et son mari le lui a acheté. Un peu énervé, il prend l'oiseau et dit :
« J'espère qu'il parle, pour ce prix-là !
– Bien sûr que je parle, répond l'oiseau. À votre avis, qui a fait monter les enchères ? »

Une girafe entre dans une mercerie et demande :
« Je voudrais 380 pelotes de laine.
– Tout ça ? Qu'est-ce que vous voulez en faire ? demande la vendeuse.
– Oh, simplement un col roulé ! »

« Quand est-ce que ça porte malheur d'être poursuivi par un chat noir ?
– Quand on est une souris ! »

Dans la rue, un petit garçon arrête un monsieur :
« Monsieur, s'il vous plaît, pourriez-vous aller caresser le chien qui est sur le trottoir d'en face ?
– Pourquoi, mon enfant ?
– Je voudrais savoir s'il mord ! »

En revenant de l'école, Toto voit la vache du fermier les quatre pattes en l'air. Inquiet, il va vite chez le fermier qui le rassure aussitôt :
« Ah, c'est Gertrude ! Ne vous inquiétez pas ! Elle en a assez de voir les trains passer, alors elle regarde les avions ! »

« Ton chien a poursuivi un garçon à vélo.
– Impossible, mon chien ne sait pas faire du vélo ! »

Raymond et Ti Louis aiment bien se vanter. Cette fois, c'est Raymond qui dit :
« Hé, oh ! Ti Louis, viens voir à ma ferme, j'ai un cochon qui sait compter.
– Peuh, ça m'étonnerait ! »
Ils vont à la porcherie et Raymond demande à son cochon :
« 7 + 2 ? »
Le cochon grogne :
« Neuf, neuf, neuf !
– 5 + 4 ?
– Neuf, neuf, neuf ! »
Mais Ti Louis ne veut pas se laisser impressionner. Il demande :
« 5 + 3 ? »
Et le cochon répond :
« Neuf, neuf, neuf ! »
Alors, son propriétaire lui donne un grand coup de pied et le cochon fait :
« Huit, huit, huit !!! »

Médor et Azor se rencontrent au pied d'un réverbère.
« Vous êtes dans une bonne maison, vous ? demande Médor.
– Parfait ! Je mange bien, je dors bien, je vais me promener tous les jours… Et vous ?
– Épouvantable. Je me lève au petit jour, je vais chercher le journal, je vais accompagner les enfants à l'école, je mange de la pâtée pour chat…
– Mais, mon pauvre ami, il faut écrire à la S.P.A.
– Pensez-vous ! Si mon patron s'aperçoit que je sais écrire, il va en profiter pour me dicter son courrier ! »

« Connais-tu l'histoire de la malheureuse princesse ?
– Elle a voulu embrasser un prince charmant et il s'est transformé en crapaud ! »

Un pêcheur rentre chez lui en boitant, l'air mécontent.
« Alors, demande sa femme, ça a mordu ?
– Les poissons, non ! Le chien du fermier, oui ! »

Le facteur hésite à entrer dans une propriété gardée par un énorme chien.
« N'ayez pas peur, dit sa maîtresse, vous ne risquez rien.
– Il ne mord pas ?
– Si, mais il est vacciné contre la rage ! »

Au zoo, une maman prévient sa fille :
« Cécile, ne t'approche pas trop de l'ours polaire, tu pourrais t'enrhumer ! »

« Matthieu, as-tu pensé à donner à manger au poisson rouge ?
– Oui, maman ! Mais, oh, j'ai oublié de lui donner à boire ! »

Un écureuil se gare devant un panneau de stationnement interdit. Un policier s'approche et le met en garde :
« Dites donc, vous voulez une amende ?
– Oh, si ça ne vous fait rien, répond l'écureuil, je préférerais une noisette ! »

Un homme préhistorique entre dans sa caverne.
« Qu'est-ce qui t'est arrivé ? s'exclame son voisin. Tu es couvert de bleus.
– Ne m'en parle pas ! C'est le manteau de fourrure que je voulais offrir à ma femme qui m'a lâchement attaqué par-derrière ! »

« Quelle est la différence entre une poule et un chapon ?
– Une poule, cha pond, un chapon, cha pond pas ! »

Un chien jaune et un chien noir se battent. Le chien jaune ne fait qu'une bouchée du chien noir.
« Eh bien, dit un passant à son propriétaire, votre chien, il est drôlement fort. Où l'avez-vous eu ?
– C'est mon frère qui me l'a ramené d'Afrique. Il avait une crinière, mais je l'ai rasée ! »

« Pourquoi les éléphants ont-ils une mauvaise vue ?
– Parce qu'ils ont défense d'y voir ! »

(Défense d'ivoire)

C'est une petite girafe qui vient de naître. Elle dit à un vieux singe : « Il paraît qu'il y a des éléphants par ici. Je parie que ce sont des bêtes idiotes avec un museau tout aplati.
– Ah non, répond le singe, je t'assure, tu te trompes ! »

Mme Tartempion téléphone à un chenil :
« Allô ! je voudrais acheter un chien policier.
– C'est entendu, madame, je vous l'amène demain. »
Le lendemain, le vendeur arrive avec un petit chien tout noir et tout maigre.
« Vous appelez ça un "chien policier" ? s'exclame la dame, furieuse.
– Parfaitement, madame, répond le vendeur. Seulement, il est de la police secrète ! »

Dans un pré, un peintre s'approche d'un berger :
« Bonjour, monsieur. Dites-moi, ça ne vous ennuie pas trop que je peigne vos moutons ?
– Ah non, dit le berger, ne faites surtout pas ça : la laine serait invendable ! »

Une araignée finit de tisser
sa toile dans un massif de roses.
L'une des roses se penche
vers l'araignée et lui demande :
« S'il vous plaît, madame,
vous n'auriez pas un peu de fil noir ?
J'ai un bouton à recoudre ! »

En classe, l'instituteur demande de
faire une rédaction sur ce thème :
« *Décrivez les réactions d'un animal
que vous avez sauvé de la noyade.* »
Une petite fille, avec beaucoup
d'émotion, raconte comment
elle a tiré de la rivière un jeune
chiot. Et elle ajoute
ce commentaire moralisateur :
« *Le chien, reconnaissant, s'éloigna
en remuant joyeusement la queue.
Bien peu d'hommes en auraient
fait autant !* »

« Viens avec moi à l'étable,
dit une fermière à son petit neveu.
Je vais t'apprendre à traire
les vaches.
– Euh, fait le gamin, un peu inquiet,
est-ce que je ne pourrais pas
commencer en apprenant
avec le chat ? »

« Pourquoi les chiens aiment-ils
sortir la nuit ?
– Parce qu'ils aiment le flair de lune ! »

« Que dit-on d'une truie
qui a une mouche sur les naseaux ?
– Qu'elle a un groin de beauté ! »

Deux serpents font la sieste
au soleil. L'un d'eux dit à l'autre :
« Comme le temps passe vite !
– Oh oui… Quelle heure reptile ? »

« Pourquoi les muets vont-ils
souvent au bord de la mer ?
– Pour voir les muettes ! »

« À quoi reconnaît-on les vaches
médecins ?
– À leur bouse blanche. »

« De quelle couleur ressort
le chat qui tombe dans la cuve
du teinturier ?
– Chat teint ! »

C'est un escargot qui déambule
tranquillement sur une route
nationale. Il arrive à un carrefour
et voit un énorme camion
qui fonce sur lui.
« Je continue, se dit l'escargot
têtu. On verra bien lequel
des deux s'arrêtera le premier ! »

Une vieille dame souhaite acheter un canari.
Elle entre dans une oisellerie et explique :
« Bonjour, monsieur, je voudrais acheter un canari mâle. Comment faire pour le reconnaître ?
– Oh, c'est très simple, madame. Vous prenez deux vers : un mâle et une femelle. Si votre canari est un mâle, il se jettera sur le ver femelle.
– Ah, parfait ! dit la vieille dame, satisfaite.
Mais, dites-moi, comment reconnaît-on un ver mâle d'un ver femelle ?
– Ah ça, dit le vendeur, ça n'est pas mon rayon. Ici, nous vendons des oiseaux. Allez vous adresser au marchand de vers ! »

Un éléphant et une souris font leur footing. Au bout d'un moment, voyant la souris essoufflée, l'éléphant propose :
« Tu ne veux pas monter sur mon dos ?
– Si tu veux, mais après, nous ferons le contraire, c'est toi qui monteras sur mon dos ! »

Deux escargots se baladent.
L'un des deux propose à l'autre :
« Et si on allait au verger manger des prunes ?
– T'es fou, toi ! On est en hiver, il n'y a pas de prunes !
– Je sais, mais le temps d'y arriver, ça sera l'été ! »

« Quel est le comble pour un chien de chasse ?
– C'est de poser un lapin à son maître ! »

Duchmoll et Durand se croisent dans la rue.
« Tiens ! Vous voilà donc.
Vous savez que votre chien aboie toute la nuit ? demande Duchmoll.
– C'est pas grave, ne vous en faites pas pour lui, répond Durand, il se repose dans la journée. »

« Que dit un photographe à un troupeau de vaches ?
– Ne bousons plus ! »

C'est un énorme scorpion qui rencontre un aigle.
Le scorpion lui dit :
« Quel bonheur de te voir !
Je te pince la serre ! »
Et l'aigle de répondre :
« Mais oui, quelle chance !
Moi, je te serre la pince ! »

ache dit à sa copine :
vraiment très peur d'attraper
la maladie de la vache folle.
– Oh, moi, ça m'est égal, coin coin,
je me prends pour un canard ! »

« Pourquoi le chien remue-t-il
toujours la queue ?
– Parce que la queue ne peut pas
remuer le chien ! »

« Sais-tu où vivent les poules ?
– Dans les poulaillers !
– Et les coqs ?
– Dans les coquetiers ! »

Un taureau broute dans
la pâture, quand soudain il trouve
un gant en dentelle blanche.
Il le ramasse, s'approche de la plus
jolie vache et lui dit en rougissant :
« Pardonnez-moi, mais je crois
que vous avez perdu
votre soutien-gorge ! »

Ce sont trois imitateurs d'animaux qui veulent se faire engager par le directeur d'un cirque. Évidemment, ils se vantent un peu…
« Moi, quand je fais le taureau, lance le premier, toutes les vaches sont folles de moi.
– Et moi, quand j'aboie, le facteur fait demi-tour.
– Eh bien, moi, dit le troisième, lorsque j'imite le coq, le soleil se lève ! »

« Quel est le point commun entre un renne, un zoo et un tronc ?
– Le 6 ! »

(Sirène, ciseaux, citron)

« Oh, pauvre éléphant, comme tu as l'air triste !
Tu as des soucis ?
– Oui, je crois que ma femme me trompe ! »

« Quelle est la femelle du condor ?
– La chambre à coucher, parce que c'est là qu'on dort ! »

« Pourquoi le pigeon roux a-t-il peur de l'eau ?
– Parce que le pigeon roux coule ! »

(Roucoule)

Deux canards, qui se baignent dans un étang, se croisent.
« Coin, coin, dit le premier.
– Oui, c'est exactement ce que je voulais vous demander », répond l'autre.

« Quel est le comble pour un coq ?
– C'est d'attraper la chair de poule ! »

Deux amis se rencontrent.
« Alors, tes vacances dans le désert ? demande le premier.
– C'était super, sauf que j'ai eu un accident. J'ai heurté un chameau avec ma voiture.
– C'est ennuyeux. Et ça n'a pas été trop grave ?
– La voiture n'a rien et le chameau s'en est tiré avec deux bosses ! »

Après un match de rugby, les éléphants s'excusent :
« Désolés d'avoir écrasé la moitié de vos joueurs !
– C'est rien ! Nous aussi on a joué brutal ! » répondent les souris…

« Quel est le comble pour une araignée ?
– C'est de croire qu'elle a régné ! »

À table !

C'est l'histoire d'un type
qui a décidé d'ouvrir un fast-food.
Il en parle à un copain et lui dit
fièrement :
« Je vais l'appeler *Ma tête Mickey*.
– Euh… c'est un drôle de nom.
Tu crois vraiment que ça va
marcher ?
– Bien sûr, regarde, il y en a
plein qui s'appellent *Ma queue
Donald* ! »

« Garçon, comme hors-d'œuvre,
vous me donnerez des fautes
d'orthographe.
– Enfin, monsieur, quelle drôle
d'idée ! Vous vous doutez bien
que nous ne servons pas ce genre
de choses.
– Ah bon ? Alors pourquoi
en mettez-vous sur le menu ? »

Léon va au restaurant :
« Un autre sucre, garçon,
s'il vous plaît !
– Mais c'est au moins le dixième
que je vous apporte.
– Et alors ? C'est pas ma faute
s'ils fondent tous ! »

« Alors, patron, mon andouille n'est toujours pas arrivée ?
– Mais je ne savais pas, monsieur, que vous attendiez quelqu'un ! »

« Quel est le comble pour une fée ?
– Acheter sa baguette chez le boulanger ! »

Jules avait juré de ne plus jamais toucher une seule goutte d'alcool. Il alla en ville, passa devant son café habituel et ne tourna même pas la tête. Cent mètres plus loin, il s'arrêta.
« Jules, se dit-il, tu as eu vraiment beaucoup de courage : tu mérites une récompense. »
Et il fit demi-tour et entra dans le café !

À la fin du repas, Monsieur félicite Madame :
« Ma chérie, ces champignons, c'était absolument délicieux. Mais je ne les connais pas. Où as-tu trouvé la recette ?
– Dans un roman policier ! »

C'est merveilleux d'avoir un mari pompier ! Il n'est jamais si heureux que quand les plats ont brûlé !

Deux dames bavardent :
« Oh, dit la première, je suis en train de lire un livre passionnant. On ne sait jamais comment ça va se terminer : merveilleusement bien ou horriblement mal.
– Sans blague ? C'est un bouquin policier ?
– Pas du tout. C'est un livre de cuisine ! »

À la terrasse d'un café, on vient d'apporter à une dame un expresso brûlant. Mais il manque la petite cuillère.
« Garçon, dit-elle, il me paraît difficile de tourner mon café avec un doigt. »
Le garçon s'éloigne et revient quelques minutes plus tard avec un autre expresso, qu'il pose devant la dame.
« Tenez, madame, celui-ci est tout juste tiède. Vous ne vous brûlerez plus les doigts. »

Sur le menu d'un restaurant, un client lit : *Salade cannoise*.
« Quelle est la différence entre une salade cannoise et une salade niçoise ? demande-t-il au serveur.
– 35 kilomètres, monsieur. »

Dans ce grand restaurant, le cuisinier vient d'engager un jeune marmiton. Le soir, pendant que les clients mangent, le cuisinier s'aperçoit que les poulets servis n'ont qu'une patte. Furieux, il interpelle son marmiton :
« Comment se fait-il que ces poulets n'aient qu'une patte ?
– C'étaient des poulets à une patte.
– Tu te fiches de moi ?
– Non, non, venez voir au poulailler. »
Ils partent au poulailler. Debout sur une patte, poules et poulets dorment.
« Ah, vous voyez bien ! dit le marmiton.
– Tu te fiches encore de moi ! »
Et le cuisinier fait du bruit pour réveiller les volatiles. Ceux-ci s'éparpillent en courant sur leurs deux pattes.
« Alors, dit-il, tu as vu comme moi qu'ils avaient deux pattes.
– Oui, dit le marmiton, mais moi je les avais tués sans les réveiller ! »

Quelle différence y a-t-il entre une poubelle et une casserole ? Vous ne le savez pas ? Eh bien, je n'irai pas dîner chez vous !

En fin de repas, un client appelle le patron pour le féliciter :
« Bravo, monsieur, félicitations, vos cuisines sont très propres.
– Merci, je fais pour le mieux.
Mais… comment pouvez-vous dire cela, vous ne les avez pas visitées.
– Facile, répond le client, tout ce que l'on mange chez vous a un goût de savon ! »

« Quelle différence y a-t-il entre une addition et une somme ?
– Une somme ne peut vous additionner, tandis qu'une addition peut vous assommer ! »

« Garçon, c'est un scandale !
– Monsieur a un problème ?
– Il y a une mouche sur mon fromage.
– Désolé, j'espère qu'elle vous en a laissé ! »

Deux amies discutent…
« C'est énervant ce que mon mari peut être difficile ! Il n'est jamais content de ce que je lui fais à manger.
– Oh ! moi, il ne dit jamais rien.
– Vous devez être un vrai cordon bleu !
– Euh… non, je suis plutôt ceinture noire ! »

« Qu'est-ce qui tourne souvent mais ne bouge jamais ?
– Le lait ! »

Un homme téléphone de son bureau à sa femme :
« Je dois te prévenir, chérie, que ce soir j'ai invité mon patron à dîner avec nous. Alors, prépare-nous quelque chose de bon ! »
Le soir arrive. Il rentre chez lui, mais il est seul.
« Et ton patron ? demande sa femme.
– Excuse-moi de t'avoir menti, mais, pour une fois, j'avais envie de bien manger. »

Duchmoll est à son bureau.
Le téléphone sonne. Il décroche et entend la voix de sa femme :
« Allô ! Chéri ?
– Oui.
– As-tu mangé les sandwiches que je t'avais préparés ce matin ?
– Oui, mon amour, je m'en suis régalé à midi. C'était délicieux.
– Ah ! ben tant mieux, parce que je viens de m'apercevoir que j'ai ciré tes chaussures avec le pâté de foie… »

« Ma femme fait dix à douze bars par soirée, avoue un homme à l'un de ses amis. Elle ne rentre jamais avant six heures du matin.
– Mais tu la laisses faire ?
– Ben oui, elle me cherche ! »

Dans un cocktail, un homme mange du caviar pour la première fois. Il dit au maître d'hôtel :
« Je suis très mécontent, votre confiture de myrtilles sent le poisson ! »

Un client se plaint au directeur d'un restaurant :
« Vous m'avez servi une vieille poule !
– Comment le savez-vous ? demande le directeur.
– Aux dents.
– Mais les poules n'ont pas de dents !
– Non, mais moi j'en avais. »

Dans un restaurant, un client commande un poulet frites. Sitôt servi, il remarque que le poulet a une cuisse plus courte que l'autre. Il s'en étonne auprès du serveur qui rétorque :
« Votre poulet, vous l'avez commandé pour quoi ? Pour le manger ou pour danser avec lui ? »

Un homme qui revient d'un restaurant indien dit à un copain :
« Ah, j'ai mangé épicé !
– Ben, dis donc, t'arrives à faire les deux en même temps ! »

« Garçon, vous avez des cuisses de grenouille ?
– Non, c'est simplement mon jean qui est un peu serré ! »

« C'est un scandale,
votre bifteck est vraiment trop dur !
Je veux me plaindre à la direction...
– Mais, monsieur, c'est normal,
c'est le plat de résistance ! »

Un petit gringalet entre
dans un bar. Il s'accoude
au comptoir et déclare très fort :

« J' paye pas parce que, moi,
j'ai peur de rien ! »
Amusé, le garçon lui donne
sa bière gratuitement.
Le lendemain, revoilà le petit
gringalet qui déclare :
« J' paye pas parce que, moi,
j'ai peur de rien ! »
Encore une fois, le barman lui offre
généreusement sa bière.
Et ça dure pendant une semaine.
Mais, le lundi, le gentil barman est
remplacé par un autre, un barman
hyper costaud. Le gringalet
recommence son petit numéro :
« J' paye pas parce que, moi,
j'ai peur de rien. »
Et l'autre répond :
« Si tu crois que tu m' fais peur ?
– Ah ! vous aussi vous n'avez peur
de rien ? Alors, deux bières ! »

« Écoutez, docteur, ça ne va pas du tout. Dès que je bois du café, j'ai mal à l'œil.
– Lequel ?
– L'œil droit.
– Avez-vous pensé à retirer la cuillère de la tasse ? »

Un type arrive dans un bar et commande :
« Une bière avant que ça commence ! »
Le garçon lui apporte sa bière.
Il la boit et demande :
« Une bière avant que ça commence ! »
Aussitôt, le garçon obéit.
L'homme boit sa bière très vite et redit :
« Une bière avant que ça commence ! »
À la dixième bière, le garçon, un peu inquiet de ne pas être payé, lui dit :
« Monsieur, voici l'addition.
Vous me devez dix bières…
– Et voilà, ça commence ! »

« Comment reconnaître un véritable cannibale ?
– C'est celui qui dans un restaurant commande :
"Un garçon, s'il vous plaît !" »

C'est un cannibale qui prend l'avion pour la première fois de sa vie. Au moment du repas, l'hôtesse s'approche avec un plateau… Le cannibale a l'air à moitié ravi. Il demande :
« Vous ne pourriez pas plutôt m'apporter la liste des passagers ? »

En Angleterre, un mari dit à son épouse :
« Oh, *darling*, ton haddock à la gelée de mûre ressemble tout à fait à celui que faisait ma mère.
– *Darling*, ça, c'est un compliment. Ta mère cuisinait très bien.
– Oui, dommage que ce soit le seul plat qu'elle ait toujours raté ! »

« Pourquoi les Martiens
ne renversent-ils jamais le café
sur la table ?
– Parce qu'ils ont des soucoupes ! »

Dans un bar, un client
s'impatiente et appelle le garçon :
« Garçon, voilà dix fois que je vous
demande une bière.
Quand allez-vous me servir ?
– Tout de suite, monsieur. »
Et le garçon crie en direction
du comptoir :
« Et dix bières, dix ! »

Deux radins vont au restaurant.
Ils se régalent, puis arrive le moment
fatidique de l'addition.
Aucun des deux ne se décide
à la réclamer. Finalement, le garçon
l'apporte et la pose entre les deux
amis. Au bout d'un moment,
l'un s'en saisit et la tend à son ami
en disant :
« Tu peux payer, j'ai vérifié,
il n'y a pas d'erreur ! »

Un touriste s'informe auprès d'un Écossais :
« En France, plus le vin vieillit, plus il est bon. Est-ce la même chose pour le whisky ?
– Oui, je le constate chaque jour, plus je vieillis, plus je le trouve bon ! »

Un épicier se plaint à une cliente :
« Madame, ça a assez duré !
Voilà un mois que votre fils me chipe une pomme chaque matin en allant à l'école.
– Oh, dit la dame, en blêmissant, c'est très grave. »
Et elle se tourne vers son fils :
« Tu te rends compte de ce que tu as fait ? Manger des pommes pas lavées. Tu vas attraper des microbes ! »

« Garçon, je voudrais un steak pas trop cuit, un fromage pas trop fait, et une crème pas trop sucrée. Ensuite, vous me ferez un café pas trop fort.
– Et avec ça, répond le garçon, de l'eau pas trop mouillée, je suppose ! »

C'est l'été. Héloïse a pris une pêche sur un plateau de fruits et s'apprête à mordre dedans.
Sa maman lui crie :
« Héloïse, tu ne dois pas manger une pêche sans la peler. »
Alors Héloïse :
« Pêche ! pêche ! pêche, viens vite ! »

Les grands-parents du petit Louis sont très sévères, et ça n'est pas toujours marrant d'aller déjeuner chez eux...
« Papy, papy, écoute, j'ai quelque chose à te dire !
– Tais-toi donc, ne m'interromps pas : les enfants bien élevés ne parlent pas à table. »
Le reste du repas se passe dans un grand calme. Louis ne dit rien. Finalement, quand on arrive au dessert, son papy lui demande :
« Qu'avais-tu de si important à me dire ? Tu peux parler, maintenant.
– Ben, il y avait un ver dans ta salade, et c'est trop tard maintenant, parce que tu l'as mangé ! »

« Maman, j'ai faim. Qu'est-ce que tu as mis à cuire dans la poêle ?
– C'est du poisson pané, ma chérie.
– Oh, zut alors ! S'il n'est même pas encore né, on n'est pas près de dîner ! »

« Donnez-moi une belle truite »,
dit Mme Dupont à son poissonnier.
Le commerçant disparaît
dans son arrière-boutique,
bien embêté, parce qu'il ne sait
pas s'il lui en reste assez.
Finalement, il en trouve une,
la dernière, et l'apporte fièrement
à Mme Dupont.
« Oh ! là ! là ! mais elle est bien trop
petite. Vous n'en auriez pas
une plus grosse ? »
Le poissonnier retourne dans son
arrière-boutique, ne sachant que
faire. Finalement, il a une solution.
Il revient avec la même truite
et annonce :
« Regardez, celle-ci est bien plus
belle.
– Ah oui, c'est vrai, alors donnez-
moi les deux ! »

« S'il vous plaît, madame,
combien coûte ce millefeuille ?
– 10 francs.
– Alors voilà 5 francs : est-ce que
je peux avoir 500 feuilles ? »

« Quel champignon est à la fois
beau et laid ?
– Le bolet ! »

Patrice adore le fromage.
Mais ce jour-là, il n'a pas l'air
de vouloir en manger
de bon appétit.
« Qu'est-ce qui ne va pas ?
Tu n'as pas envie de fromage ?
lui demande sa maman.
– Oh si ! Mais mon problème,
c'est le gruyère. Tu comprends,
plus il y a de gruyère, plus il y a
de trous.
– Oui, c'est normal.
– Mais plus il y a de trous
et moins il y a de gruyère ! »

C'est un Parisien qui découvre
la campagne. Au bord de la route,
il voit un fermier qui vend
ses fraises. Il s'arrête et s'extasie :
« Elles sont vraiment belles,
vos fraises ! Comment faites-vous
pour les avoir comme ça ?
– Ben, j' mets du fumier dessus !
– Du fumier ? Ça alors, chez nous
on met de la crème et du sucre ! »

« Papa, elles ont des pattes,
les cerises ?
– Oh non, mon chéri !
– Alors, tu viens de manger
une araignée ! »

Un explorateur raconte :
« C'est affreux ce qui m'est arrivé lors de ma dernière expédition ! Figurez-vous que j'ai été pris par des cannibales. Ils m'ont aussitôt ligoté et emmené dans leur village. Sans perdre de temps, ils ont mis de l'eau à bouillir dans une grande marmite. Bien sûr, j'ai tout de suite compris ce qui allait m'arriver :
ils avaient l'intention de me faire cuire pour me manger !
– Et alors ? Et alors, qu'est-ce que t'as fait ? s'écrient ses copains.
– Alors, j'ai eu une idée de génie. Je leur ai montré la cicatrice de mon appendicite. Et en même temps j'ai fait "berk berk berk". Ils ont très bien compris :
ils se sont dit que d'autres avaient déjà essayé de me manger mais que j'avais si mauvais goût qu'il valait mieux renoncer ! »

« Quelle est la lettre qui peut se boire ?
– Le T.
– Et quel est le nombre qui peut se boire ?
– Le 20 ! »

Ôl est minuit. Tout dort dans la maison. La mère est réveillée par un craquement.
Inquiète, elle se lève et voit son mari qui descend les escaliers, dans le noir, les bras tendus. Alors, elle hausse les épaules et retourne se coucher en disant :
« Ce n'est pas la peine de faire semblant d'être somnambule, j'ai fini le gâteau au chocolat hier soir ! »

« Quel est le comble pour un caramel mou ?
– Se prendre pour un dur ! »

Un avare vient de commander un verre de vin. Comme il ne veut pas payer très cher, il fréquente des bistrots sales et vieux. Il n'est donc pas plus étonné que ça de découvrir une araignée au fond de son verre. Mais ça le rend furieux. Il attrape l'araignée par une patte en criant :
« Espèce de sale bête, tu vas recracher ce que tu as déjà bu ! »

Tous les samedis après-midi,
des amis se retrouvent
dans un salon de thé.
Et tous les samedis,
c'est la même chose…
Ils commandent du thé
et la serveuse s'approche
avec une petite carafe de lait
et leur demande combien
ils en veulent…

« Un nuage, répond le premier
qui est poète.
– Un soupçon, renchérit
le deuxième, très jaloux.
– Une larme, dit le troisième,
qui est souvent triste.
– Une goutte, ajoute le quatrième,
un pharmacien.
– Un poil », conclut le cinquième
qui est chauve.

« Chérie, m'aimes-tu ? demande Roméo tendrement.
– Bien sûr, mon amour.
– Alors, dis-moi quelque chose de tendre et de bon à l'oreille.
– Tarte au citron meringuée. »

« Garçon, vous appelez ça du bouillon de poulet ? Mais ça n'a aucun goût ! se plaint un client.
– Euh, c'est-à-dire... c'est du bouillon de très jeune poulet, bafouille le garçon. C'est l'eau dans laquelle on a fait cuire les œufs durs ! »

Un homme se dore sur la plage au soleil. Voyant qu'il commence à s'endormir, sa femme lui demande :
« Quand dois-je te réveiller : bien cuit, saignant ou à point ? »

La maman de Félix n'est pas contente :
« Tu exagères : chaque fois que tu partages un gâteau avec ta petite sœur, tu gardes le plus gros morceau. Je viens encore de te voir faire.
– Mais c'est elle-même qui choisit !
– Comment ça ?
– Mais oui ! Je lui demande toujours : "Que préfères-tu, le plus petit morceau ou rien du tout ?" »

« Garçon, une mouche est
en train de se noyer dans mon verre.
– Et alors ? Vous voulez peut-être
que je lui fasse la respiration
artificielle ? »

Une dame téléphone à son
médecin :
« Docteur, docteur, mon fils vient
d'avaler un litre d'essence
et il n'arrête pas de courir :
que dois-je faire ?
– Ne vous inquiétez pas, madame,
quand il n'aura plus d'essence,
il s'arrêtera. »

« Docteur, je viens d'avaler
un mouton.
– Vraiment ! Comment vous sentez-
vous ?
– Très biêêêêêêêêêên... »

« Que fait le chat ? interroge
l'instituteur.
– Il miaule, répond Toto.
– Et le mouton ?
– Il bêle.
– Et le loup ?
– Il le mange ! »

Dans un resto, un client demande au serveur :
« Alors, cette crème renversée, elle arrive ?
– Tout de suite, monsieur, on finit de la ramasser ! »

« Allô ! je suis bien chez le poissonnier ?
– Oui.
– Avez-vous une raie ?
– De quel côté ? »

« Sais-tu ce que les avaleurs de sabre mangent au petit déjeuner ?
– Non...
– Des canifs ! »

Une dame donne un grand dîner. Elle demande la recette du brochet au citron à une amie. Celle-ci termine en lui conseillant :
« Et pour la présentation, tu le sers avec un citron dans la bouche. »
Le soir, les invités furent bien étonnés de voir leur hôtesse passer le plat avec un joli citron coincé entre les dents !

Voyant sa mère talquer sa petite sœur, Loulou propose :
« Maman, pendant que tu mets la farine, tu veux que je casse les œufs ? »

Au café, un client commande :
« Un thé bien fort, sans lait !
– Ah ! désolé, monsieur, nous n'avons plus de lait. Est-ce que je peux vous le servir sans citron ? »

Au restaurant, Mme Durand dit à son fils :
« Gaston, tu ne dois pas essuyer ton assiette avec un mouchoir !
– Mais, enfin, quelle importance puisqu'il est déjà sale ! »

Une femme entre dans une épicerie pour faire ses courses. Prise d'un malaise, elle s'assoit sur une caisse d'œufs.
« Ça ne va pas, s'écrie-t-elle, je dois couver quelque chose ! »

« Garçon, avez-vous
des sandwichs de dinosaure ?
– Oh non, monsieur,
nous ne pouvons pas vous en faire,
nous n'avons plus de baguette ! »

Au restaurant, un client
commande un hachis Parmentier.
« Ah, vous n'avez pas de chance,
lui dit le garçon.
– Je vois, vous n'en avez plus.
– Si, justement, il en reste ! »

Un homme est mort
dans des conditions suspectes.
On ouvre une enquête et la veuve
est convoquée devant le tribunal.
Le juge lui demande :
« Pourriez-vous nous dire quels ont
été les derniers mots de votre mari ?
– Oh oui, il a dit : "Je me demande
comment ils font pour faire
du bénéfice en vendant leur pâté
2 francs la boîte ?" »

« Avez-vous bu votre sirop
après le bain ?
– Ben, à vrai dire, quand j'ai eu fini
de boire l'eau du bain, je n'avais
plus très soif pour le sirop… »

« Garçon, combien coûte
le menu ?
– Cent francs par tête !
– Alors, donnez-moi seulement
les oreilles ! »

À l'une des tables, un client s'est endormi. Sans doute a-t-il abusé de la boisson et le patron, qui n'apprécie pas cette attitude, dit au garçon :
« Faites partir ce client.
Vous l'avez déjà réveillé trois fois et il s'est rendormi.
– Je sais, je sais, mais à chaque fois qu'il se réveille, il demande l'addition et il paye ! »

Un type a invité sa femme dans un grand restaurant. Mais le serveur traîne, il met au moins une demi-heure avant de s'occuper d'eux. Enfin, il leur apporte la carte.
La femme demande :
« Chéri, dis-moi comment sont les escargots dans ce restaurant ?
– Déguisés en serveurs ! »

Sur la devanture d'une boucherie chevaline, on peut lire :

Vous avez perdu au tiercé : vengez-vous en mangeant du cheval !

Trois Écossais se retrouvent après le mariage d'un de leurs amis.
« Moi, dit le premier,
je lui ai offert un service à café pour douze personnes.
– Moi, dit le deuxième,
un service à thé pour vingt-quatre personnes.
– Et moi, déclare le dernier,
je lui ai apporté une pince à sucre pour deux cent cinquante personnes ! »

« Quelles sont les initiales que les bébés préfèrent ?
– A.T.T. »

(À téter !)

« Qu'est-ce qui est jaune à l'intérieur
et vert à l'extérieur ?
– Une banane déguisée en concombre ! »

Une amie téléphone à Mme Petipois :
« Qu'est-ce que tu fais ce soir ?
– Je vais en boîte ! »

Un type regarde un pêcheur. Au bout
d'un moment, ce dernier se retourne et lui dit :
« Vous voulez quelque chose ?
– Non non, c'est simplement que vous
me faites penser à ma femme.
– Comment ça ?
– Elle aussi est sans arrêt en train
de surveiller sa ligne ! »

Un soldat boit un verre de pastis à la terrasse d'un café. Passe un général. Le soldat se lève et le salue.
« Très bien, dit le général.
Vous avez reconnu mon grade ?
– Oui, vous êtes général.
– Et vous savez ce que ça commande, un général ?
– Ce que vous voudrez, mon général. Pour moi, ce sera un autre pastis ! »

« C'est demain l'anniversaire de notre mariage et ça fera trente ans, dit une paysanne à son époux. Pour la circonstance, on pourrait tuer le cochon...
– Pourquoi ? répond le mari.
C'est pas de sa faute ! »

« Quel est le fromage préféré des Indiens heureux ?
– L'Apache qui rit ! »

Quand j'étais petit

« Mon fils est vraiment extraordinaire ! Il n'a que trois ans et il sait déjà dire son nom aussi bien à l'envers qu'à l'endroit !
– Pas possible ? Et comment s'appelle-t-il ?
– Bob ! »

« Mon fils, madame, c'est merveilleux comme il me ressemble. Et dans la famille, on a tous le même nez.
– Ah bon ! Chez nous, chacun a le sien ! »

« Allô ! je voudrais parler à M. Duchmoll, s'il vous plaît.
– C'est pas possible, mon papa n'est pas là, répond un petit garçon.
– Alors, passe-moi ta maman.
– Elle n'est pas là non plus. Il n'y a que mon frère.
– Alors, passe-moi ton frère.
– Bon, d'accord. »
Après une minute de silence, le petit garçon dit :
« Allô ! monsieur, j'arrive pas à le sortir de son berceau ! »

« Dis, maman, c'est vrai qu'à sept ans on a l'âge de raison ?
– C'est vrai, ma chérie.
– Oh, ça va être super !
– Ah oui ? Pourquoi ?
– Parce que j'aurai toujours raison !

La petite Lolotte est affolée.
Elle vient de perdre sa maman
dans un rayon du supermarché.
Elle demande à une dame :
« Vous n'auriez pas vu une maman
se promener sans moi ? »

« Qu'est-ce qu'une maman
caramel dit à son fils ?
– N'essaye jamais de jouer au dur ! »

Assise au bord du lit où
elle vient de coucher sa petite fille,
une maman chante une berceuse.
Puis elle en chante encore une, puis
une troisième, puis
une quatrième. Finalement,
la petite fille demande :
« Dis, maman, je peux m'endormir
maintenant ou tu veux encore
chanter ? »

« Maman, je voudrais
du chocolat, s'il te plaît !
– Mais je viens de t'en donner
un gros morceau !
– Oui, mais j'en voulais un petit ! »

La maman de Lolotte revient
fièrement du centre commercial
avec un paquet.
Elle dit à son mari :
« Regarde ce que j'ai acheté :
un pantalon de cheval beige. »
Et elle sort le pantalon du sac.
La petite Lolotte s'approche,
regarde le pantalon et s'en va,
très déçue :
« Il est nul, ton pantalon :
ils n'ont même pas mis la queue ! »

« Oh ! Charlie, enfin voyons,
quand on tousse, on doit
mettre sa main devant sa bouche.
– Bof ! tu sais, j'ai déjà essayé.
Ça n'empêche vraiment pas
de tousser ! »

« Mon chéri, tu vas avoir
un nouveau petit frère, annonce
fièrement une maman à son fils.
– Oh, mais j'aimerais mieux garder
le vieux ! »

Un gosse entre dans
un magasin de sport pour acheter
une casquette.
Il en essaie plusieurs. Au bout
d'une demi-heure, il finit
par demander au vendeur :
« Vous n'en auriez pas plutôt
une avec la visière sur le devant ? »

« Voyons, qu'est-ce que
tu voudrais pour ton anniversaire ?
– Eh ben, j'aimerais un chien
qui aboie, un lion qui rugit,
une vache qui fait meuh
et des parents… en peluche ! »

Deux voisins se rencontrent
par hasard dans la rue et l'un d'eux
s'écrie, en colère :
« Dites, votre fils n'arrête pas
de m'imiter. J'espère que vous lui
avez dit d'arrêter.
– Oui, je lui ai dit de cesser
de faire l'idiot ! »

« Papa, au cinéma, quand
les acteurs sont tués, est-ce que
c'est du vrai sang ?
– Oh non, mon chéri !
C'est de la sauce tomate.
– Ben, dis donc, ça doit être dur
d'être acteur ! Il faut avoir de la
sauce tomate dans les veines ! »

« Toto, ne touche pas aux
allumettes, sinon tu auras
une fessée.
– Promis, juré… et de toute façon
ne t'inquiète pas, j'ai un briquet ! »

Théo va consulter le docteur Debril. Il explique :
« Docteur, vous voyez, quand je me touche ici, ça me fait mal. »
Il se touche le cou.
« Quand je me touche ici, ça me fait mal. » Il se touche un bras.
« Quand je me touche ici, ça me fait mal. » Il se touche le ventre.
« Quand je me touche ici, ça me fait mal. » Il se touche le genou.
Le docteur lui touche alors le nez et lui demande : « Et ici ?
– Non, je ne sens rien !
– Allons faire une radio ! Vous avez sûrement une fracture de l'index ! »

Pauvre M. Duchmoll.
Il se lamente devant un copain :
« J'aurais dû écouter ce que disait ma mère quand j'étais petit.
– Et que disait-elle ?
– Je ne sais pas, je n'écoutais pas ! »

« Maman, tu sais, on a eu de la drogue à la cantine ce midi.
– Tu en es sûr ?
– Oh oui ! Même que c'est très dangereux.
– Et elle était comment, cette drogue ?
– Dans un grand plat.
C'était du hachisch Parmentier ! »

Un gamin regarde sa mère se déshabiller :
« Ben, dis donc, maman, t'as drôlement grossi ces derniers temps. » Alors la mère, émue :
« Justement, mon chéri, j'ai une grande nouvelle à t'annoncer : papa m'a donné un petit bébé et... »
Elle n'a pas le temps de finir.
Le gamin a couru vers son père pour lui dire :
« Papa, c'est vrai que tu as donné un petit bébé à maman ?...
– Oui, mon chéri, c'est merveilleux et...
– Eh ben, tu sais, elle l'a mangé ! »

Lolotte et Pierrot se promènent en ville. Soudain, Pierrot reçoit une crotte de pigeon sur la tête. Gentille, Lolotte lui propose :
« Attends, je vais aller chercher un peu de papier hygiénique.
– Laisse tomber, le pigeon est bien trop loin maintenant ! »

Toto va avec son papa acheter une chemise. Ils entrent dans un magasin qui s'appelle : *Aux 100 000 chemises*.
Le papa fait son choix, et ils ressortent avec une belle chemise bleu ciel.
Mais, avant de partir, Toto lance au vendeur :
« Eh bien, maintenant, vous allez pouvoir changer le nom de votre magasin : *Aux 99 999 chemises* ! »

Jojo et Tom ont loué une barque pour pêcher dans le lac d'Annecy. Ils trouvent un coin génial, plein de perches et de brochets. Jojo dit à Tom :
« Ce coin est vraiment super. On devrait faire une croix dans le fond de la barque pour marquer l'endroit et y revenir la prochaine fois.
– T'es complètement idiot ! Réfléchis, la prochaine fois, c'est pas sûr du tout qu'on ait la même barque. »

Le petit Loulou est fatigué
à la fin du trimestre.
Sa maman l'emmène consulter
un homéopathe qui lui dit :
« Je vais vous donner des pilules.
Prenez-les pendant quarante-huit
heures, puis sautez une journée.
Faites ça pendant un mois
et revenez me voir ! »
Au bout de dix jours, la maman
revient avec Loulou :
« Docteur, il est encore plus épuisé !
C'est ce traitement qui le fatigue.
Il n'arrive jamais à sauter
plus d'un quart d'heure d'affilée ! »

Un vieux Marseillais raconte
à son petit-fils :
« Quand je jouais au football,
j'ai contribué à la victoire
de Marseille sur Toulon en finale
de la Coupe !
– Vraiment ? lui demande son petit-fils, sceptique. Et dans laquelle
des deux équipes tu jouais ? »

« Il paraît que vous avez eu
un joli bébé ?
– Oui !
– Et il marche depuis longtemps ?
– Depuis trois mois maintenant.
– Eh ben, dites, il doit être loin
maintenant ! »

La maman de Toto lui demande d'aller à la poste envoyer une lettre.
« Tiens, lui dit-elle, voilà 3 francs pour le timbre. »
Une heure plus tard, Toto revient :
« Alors, tu as posté ma lettre ?
– Oui, maman, et voilà les 3 francs.
– Comment ! Mais tu n'as pas acheté de timbre ?
– Non, maman. Mais, avant de mettre la lettre dans la fente, j'ai bien regardé si l'employée ne me voyait pas ! »

Un groupe de gamins jouent dans un jardin public. Un vieux monsieur, à qui ça rappelle sa jeunesse, s'approche d'eux et demande :
« Alors, les gosses, on s'amuse bien ! À quoi jouez-vous ?
– On joue aux cow-boys et aux Indiens !
– Ah bon ! Je suppose que certains d'entre vous vont devoir se noircir le visage au charbon, pour faire les Indiens !
– Non, non, mais certains vont plutôt devoir se laver la figure pour faire les cow-boys ! »

Une voisine interroge la petite Priscille :
« Et qu'est-ce que tu feras quand tu seras grande comme ta maman ?
– Un régime ! »

« Dis-moi, Juju, qu'est-ce que papa a dit quand il est tombé de l'échelle ?
– Je dois aussi répéter les gros mots ?
– Non, bien sûr !
– Alors, il n'a rien dit ! »

La mamie de Charlie est très pieuse. Pour lui apprendre un peu la religion, elle lui demande :
« Que fait un bon chrétien à son réveil ?
– Il le remonte », répond Charlie.

« Quelle différence y a-t-il entre une gamine trop bavarde et une radio ?
– Dans la radio, on peut enlever les piles ! »

Une mère amène son fils âgé de dix-sept ans chez un psychiatre :
« Docteur Brédillet, ça fait cinq ans que mon fils se prend pour une poule !
– Et vous avez attendu tout ce temps pour me l'amener ?
– Ben, vous savez, on est très pauvres. Alors… les œufs, ça nous rend service ! »

En sortant de chez lui,
le président de la République
est abordé par Toto
qui lui demande cinq autographes.
« Et pourquoi cinq ? lui demande
le président en souriant.
– Parce que, pour cinq du président
de la République, on m'en échange
un de Johnny Hallyday ! »

Une heure du matin ! Enfin bébé
est endormi. Le père de famille
pousse un long soupir et ferme
les paupières. Mais sa femme
se penche vers lui et le secoue :
« Alfred, mon chéri, lève-toi
et va donc voir pourquoi le petit
ne pleure plus ! »

« Je me demande si ma mère
n'est pas un peu distraite,
confie Jojo à son copain. Le soir,
quand je suis bien réveillé,
elle me met au lit, et le matin,
quand je dors, elle me réveille ! »

« Bon, je te préviens,
dit la maman chameau à son petit,
si tu n'es pas sage, tu n'auras pas
de désert ! »

À table, ce père de famille
explique :
« Quand j'étais petit, mes parents
n'étaient pas riches. Aussi
n'avais-je pas de bons desserts,
comme vous en avez, vous.
– Ben alors, s'exclame sa fille,
tu dois être content de vivre ici
maintenant ! »

C'est Loulou qui s'amuse
sur un pont.
« Papa, papa, dit-il, quand on sait
où se trouve une chose,
elle n'est pas perdue ?
– Bien sûr que non.
– Tant mieux, parce que je viens
de laisser tomber ta montre
dans la rivière ! »

La grand-mère de Thomas
fronce les sourcils en le voyant
se servir, tout seul, une énorme
part de gâteau.
« Tu n'as pas de langue, Thomas ?
demande-t-elle sévèrement.
– Si, mamie, répond Thomas,
mais elle est moins longue
que mon bras ! »

Au catéchisme, M. le curé demande :
« Que pensez-vous de vos parents ? »
Et Loulou répond :
« C'est vraiment dommage :
quand le Bon Dieu nous les donne, ils sont déjà trop vieux
pour qu'on puisse leur inculquer de bonnes habitudes ! »

Le soir, la petite Lolotte s'installe dans un coin pour faire sa prière.
« Petit Jésus, hurle-t-elle,
pour Noël, je voudrais avoir
un landau pour ma poupée
et une panoplie de majorette.
– Ne crie pas comme ça, lui dit sa mère, le Petit Jésus n'est pas sourd.
– Je sais, mais grand-mère, elle, est sourde comme un pot ! »

Martin regarde sa maman préparer son petit déjeuner.
Elle met du chocolat en poudre, du lait en poudre et du sucre en poudre. Puis elle verse de l'eau chaude là-dessus. Alors Martin, qui la regarde faire, s'exclame :
« Maman, pourquoi on n'a pas encore inventé l'eau en poudre ? »

Le petit Stachou a un léger défaut de prononciation. Il a du mal à dire les « R ». Au lieu de « Re » il prononce « Ye ». Le jour de l'Épiphanie, c'est lui qui a la fève et, bien sûr, la couronne. Ses parents lui disent : « Bravo, Stachou, tu es couronné. » Et il répond : « Oh oui, chic, je suis cou...y...onné ! »

« Oh, oh ! On dirait que le temps rafraîchit ! Loulou, tu veux vérifier ? Je suis sûr que le thermomètre est descendu.
– Oui, papa, tu as raison.
– Et de combien ?
– D'un mètre : je viens de le faire tomber ! »

« Que dit un petit pois qui gronde sa progéniture ?
– Sales cosses, va ! »

« Connais-tu l'histoire de Toto aux toilettes ? demande Martin à son copain.
– Euh, non.
– Eh ben, tu ne pourras pas la connaître. Tu sais pourquoi ? Parce qu'il est resté enfermé à l'intérieur ! »

Les petits oiseaux font tellement de bêtises que leur maman s'écrie : « Si vous n'êtes pas sages, j'appelle le martinet ! »

Un tout petit garçon pleure à chaudes larmes. Apitoyée, une brave dame s'approche de lui. « Pourquoi pleures-tu ainsi, mon petit bonhomme ? lui demande-t-elle.
– À cause de mon frère, madame, il a des vacances et moi j'en ai pas.
– Oh, mon pauvre petit. Et comment ça se fait ?
– Parce que, lui, il va à l'école, et, moi, je n'y vais pas encore ! »

Un petit garçon avait écrit au Père Noël pour demander un superbe train électrique. Sa mère, désolée, lui avoua : « Mon chéri, le Père Noël n'existe pas. Ce sont les parents qui achètent les jouets et je ne pourrai pas t'offrir ce train.
– Ça ne fait rien, maman, dit le petit garçon, achète-moi seulement la locomotive. Pour les wagons, je dirai aux copains que ce sont les Indiens qui les ont volés. »

C'est Duchmoll qui rentre dans un café le dimanche matin. Il voit les hommes accoudés au comptoir, qui discutent de leur tiercé. Et il ne peut s'empêcher de dire au barman : « C'est quand même curieux que les enfants cessent de croire au Père Noël alors que les adultes continuent de penser qu'ils vont gagner au tiercé ou au loto ! »

« Docteur, dit une dame au téléphone, vous exagérez… Vous avez vu ce que vous me demandez de payer pour la rougeole de mon fils…
– Mais, madame, je me suis dérangé six fois.
– Oui, oui, c'est vrai, mais enfin, vous auriez pu me faire une petite ristourne…
– Mais, madame…
– Si, si… En remerciement pour le fait que mon fils a passé sa rougeole à tous les élèves de sa classe ! »

Leçon d'histoire naturelle
à l'école communale.
La maîtresse demande :
« Loulou, sais-tu ce qu'est
un congre ?
– Ouigre ! »

C'est une mère qui n'est pas
contente :
« Toto, je t'ai dit mille fois de ne pas
te rouler dans la poussière.
– Mais, maman, je joue à l'Indien.
– Eh bien, les Indiens obéissent
à leur maman.
– Oui, mais moi je joue à l'Indien
orphelin ! »

Deux hommes discutent :
« Comment faites-vous
pour endormir votre fils le soir ?
Avec le mien, je n'y arrive pas.
– Pourtant, il y a des méthodes.
Mon père, par exemple...
– Racontez-moi ça...
– Il me prenait dans ses bras,
et, hop ! un coup en l'air.
Hop ! un autre coup en l'air,
un peu plus haut, et, hop !
toujours plus haut...
– Il arrivait à vous endormir
comme ça ?
– Oui, dès que ma tête heurtait
le plafond ! »

Cette mère est excédée.
« Mais qu'as-tu dans la tête ?
demande-t-elle en pleine nuit
à son fils de huit ans.
Tu me réveilles une première fois
à minuit pour me dire que tu as soif.
À une heure, tu me réveilles encore
pour me dire que c'est ta Nintendo
qui a soif ! À deux heures, c'est
ta voiture télécommandée,
et à trois heures, ton ours
en peluche. Et maintenant,
tu me réveilles encore.
Qui est-ce qui a soif maintenant ?
– Ben, maman, j'ai pensé
que c'était peut-être toi ! »

« Pourquoi dit-on que les étoiles
sont le royaume des enfants ?
– Parce que les astres aux mômes ! »

(Astronome)

Deux jours avant Noël,
une femme entre précipitamment
dans le bureau des objets trouvés
d'un grand magasin.
Elle est seulement vêtue
d'un chemisier et d'un slip.
Elle dit à l'employé ébahi :
« Monsieur, s'il vous plaît,
vous n'auriez pas trouvé une jupe
rouge avec trois enfants accrochés
après ? »

Un pédiatre américain conseille aux parents :
« N'empêchez plus vos enfants de se mettre les doigts dans le nez. En effet, en élargissant leurs narines dans leur enfance, ils respireront mieux quand ils seront adultes ! »

« Qu'est-ce que tu fais ? demande un gamin à l'un de ses petits camarades.
– J'écris au Père Noël.
– Et qu'est-ce que tu lui demandes ?
– De venir plus souvent ! »

Un petit garçon demande à une petite fille :
« Tu viens chez moi ?
– Oui, d'accord !
– Tu viens dans ma chambre ?
– Oui, d'accord !
– Tu viens dans mon lit ?
– Oui, d'accord !
– Tu viens sous les couvertures ?
– Bon, ben oui, d'accord. »
Une fois tous les deux dans le lit, le petit remonte sa manche et dit :
« Regarde ma montre, elle est lumineuse ! »

Un petit garçon très turbulent discute avec sa mère :
« Tu as vu, maman, que je fais ma prière tous les soirs ?
– Oui, c'est très bien, mon chéri.
– Je demande au Bon Dieu de me rendre gentil, sage et obéissant.
– Oh, tu es un vrai trésor !
– Mais, tu sais, maman, je crois que c'est fini, le temps des miracles ! »

Un petit garçon écrit au Père Noël :
« Sois gentil de prévoir en double les jouets que tu m'apporteras pour que je puisse quand même jouer quand papa sera là ! »

La mère de Toto lui demande :
« Comment se fait-il qu'il ne reste plus qu'un gâteau, alors qu'hier il y en avait deux ?
– C'est parce qu'il faisait trop noir, je n'ai pas vu le second ! »

Une maman demande à son fils :
« Tu prêtes bien ta luge à ton petit frère ?
– Oh oui, maman : moi, je l'ai pour descendre,
et lui, pour monter ! »

« Théo, comment as-tu pu dire
à ta tante qu'elle était très grosse ?
Va vite la trouver et dis-lui
que tu regrettes. »
Très obéissant, Théo va trouver
sa tante et lui dit :
« Ma tante, je regrette que tu sois
très grosse ! »

Une petite fille a écrit cette
lettre au Père Noël :
« *Cher Père Noël ! Je ne te dis pas
ce que je veux, car ça ne te regarde
pas puisque tu n'existes pas.
Je t'embrasse bien fort ainsi que
la Mère Noëlle !* »

Une maman vient d'avoir un bébé.
Son fils Théo, âgé de 5 ans, lui rend
visite à la clinique. Il regarde
son petit frère d'un œil inquiet :
« Dis, maman, il n'a pas de cheveux.
– C'est normal, mon chéri.
– Dis, maman, il est tout ridé.
– C'est normal, mon chéri.
– Dis, maman, il n'a pas de dents.
– C'est normal, mon chéri. »
Théo est de plus en plus inquiet :
« Oh ! maman, tu es sûre qu'ils
ne t'en ont pas refilé un vieux ? »

Un inspecteur demande à l'institutrice :
« Y a-t-il des enfants anormaux dans votre classe ?
– Eh bien, deux d'entre eux disent "merci" quand on leur donne quelque chose ! »

« Dis, maman, demande une petite fille, quand je suis née, ça s'est passé comment ?
– Très bien, ma chérie, tu étais adorable. Nous t'attendions pour le 8 août et tu es arrivée quasiment à la date prévue, le 5 août.
– Oh ! s'émerveille la gamine. Pile le jour de mon anniversaire ! »

Un motard gare sa moto au bord du trottoir et s'installe à la terrasse d'un café. Il se gratte la tête sans enlever son casque. À la table voisine, un gamin, accompagné de sa maman, le regarde faire, très étonné, et ne peut s'empêcher de lui dire :
« C'est bizarre, monsieur : vous vous grattez la tête sans enlever votre casque ? »
Et le motard répond :
« Et toi, quand tu te grattes les fesses, t'enlèves ton pantalon ? »

Un gamin entre dans une épicerie et demande un franc de boules de gomme. L'épicier ne doit pas en donner souvent, car il est obligé de monter sur une échelle pour atteindre le bocal. Il prend donc son échelle, monte trois marches et sert le gamin. Cinq minutes plus tard, arrive un autre gamin, qui demande lui aussi pour un franc de boules de gomme.
« Eh bien, c'est le jour ! s'exclame l'épicier. Tu ne pouvais pas arriver plus tôt ! »
Il remonte sur l'échelle, et au même moment arrive un troisième garçon :
« Je parie que tu veux aussi un franc de boules de gomme ? demande l'épicier.

– Non, monsieur.
– Bon, attends alors. »
Il replace le bocal, descend de l'échelle, sert le deuxième garçon et s'adresse au dernier arrivant :
« Et toi, qu'est-ce que tu veux ?
– Deux francs de boules de gomme, monsieur ! »

C'est Lolotte qui raconte à sa maman :
« Tu sais, Toto, eh bien, il m'a encore dit de monter à l'arbre.
– Oh, quel dégoûtant ! Je parie que c'était pour voir ta culotte !
– Oui, mais cette fois-ci, je n'en avais pas mis, exprès pour l'embêter ! »

Un tout petit garçon explique fièrement à son père :
« Dis, papa, tu sais, eh bien, je vais me marier !
– Ah bon ! Et avec qui ? demande son père en souriant.
– Avec grand-mère !
– Mais, voyons, tu ne peux pas épouser ma mère !
– Et alors, est-ce que j'ai dit quelque chose quand tu as épousé la mienne ? »

Loulou rentre tard de l'école et explique à sa mère :
« C'est parce qu'une dame avait perdu une pièce de 5 francs.
– Tu l'as aidée à la chercher ? C'est bien, mon petit.
– Non, c'est parce que j'avais mis le pied sur la pièce et j'ai dû attendre qu'elle s'en aille pour la ramasser. »

Le petit Pierrot est allé se coucher. Au milieu de la nuit, il crie :
« Maman, j'ai soif !
– Dors, sinon je viens te donner une fessée, lui répond sa mère.
– Quand tu viendras pour la fessée, n'oublie pas de m'apporter aussi un verre d'eau ! »

« Comme il est beau,
votre petit garçon !
Il est extraordinaire !
Il est bien de sa famille :
il a le nez de son père,
la bouche de sa mère,
les yeux de son grand-père…
– Oui, précise le petit garçon,
et j'ai les chaussettes
de mon grand frère. »

Le petit Martin est vraiment
très beau. Il a l'habitude
d'entendre les amies de sa mère
s'extasier sur ses yeux bleus.
Un jour, il a beaucoup couru,
et sa mamie lui dit :
« Oh, tu as les joues rouges !
– Et les yeux bleus ! » ajoute Martin
fièrement.

Une petite fille ouvre le paquet
que lui apporte sa grand-mère :
« Encore une poupée ! On voit bien
que ça n'est pas toi qui les élève !»

La petite Roxane entend
sa maman dire qu'elle va faire
un stage de peinture sur soie.

Alors, choquée, elle s'exclame :
« Oh, ben moi, j'aimerais mieux
faire de la peinture sur les autres ! »

À l'occasion du 1er janvier,
le petit Nicolas va présenter
ses vœux à une vieille tante.
Celle-ci est ébahie :
« Oh, Nicolas, comme tu as grandi !
– Et toi, comme tu as vieilli ! »

Romain et Stachou discutent :
« Tu as une sœur ?
– Non.
– Alors, sur qui tu tapes ? »

Le prof de Français interroge
l'un de ses élèves :
« Jojo, peux-tu me dire ce que
c'est qu'une autobiographie ?
– C'est l'histoire d'une voiture ! »

Au boulot !

Un avare écrit à une société de vente par correspondance pour savoir à quel prix est vendu le papier-toilette.
Il reçoit une lettre fort aimable qui précise que le prix du papier toilette est indiqué à la page 321 du catalogue. Furieux, il répond aussitôt à la société en disant :
« *Merci du renseignement ! Mais, si j'avais votre catalogue, je n'aurais pas besoin de papier toilette !* »

Une femme se vante auprès d'une autre :
« J'ai un mari en or ! »
Et l'autre lui répond :
« Le mien est en tôle ! »

L'histoire se passe en Écosse. Mme Mac Cormik demande à Mme Mac Donald :
« Alors, vous venez de marier votre fille ? C'est la cinquième et dernière qui se marie, non ?
– Oui, et heureusement ! Parce que les confettis commençaient à devenir un peu sales ! »

Deux amis se rencontrent :
« Tiens, bonjour, Dupont !
Au fait, que devient votre fils ?
– Il travaille son droit.
– Ah ! Il veut être avocat !
– Non, boxeur ! »

Le policier Crampon arrive
en courant au poste et crie :
« Chef ! Chef ! On vient de voler
la fourgonnette de la police !
– Pas possible ! » répond
le brigadier, catastrophé.
Mais Crampon le rassure aussitôt :
« Ne vous en faites pas, chef,
j'ai relevé le numéro ! »

« Que dit un prêtre
sous l'averse ?
– Misère, y corde ! »

(Miséricorde)

« Alors, tu ne fumes plus ?
demande un clochard à son copain.
– Non. Ça me donnait trop
de courbatures.
– Je savais que le tabac faisait mal
aux poumons, au cœur… mais pas
que ça donnait des courbatures !
– Moi, c'est très spécial.
C'était à force de me baisser pour
ramasser les mégots. »

Un plombier sonne chez
un client :
« Bonjour, c'est pour la fuite
de la salle de bains.
– Mais je n'ai rien demandé.
– N'êtes-vous pas madame Dupont ?
– Mme Dupont habitait bien ici,
mais elle a déménagé il y a plus
de trois mois ! »
Alors, le plombier s'en va
en marmonnant :
« Voilà comment sont les gens !
Ils vous appellent pour un travail
urgent et, quand on arrive, ils ont
trouvé le moyen de déménager ! »

C'est un Écossais qui se promène
sur son cheval. Mais il monte la bête
à l'envers, la tête vers la queue
de l'animal.
« Salut, John ! lui dit un voisin.
Qu'est-ce que tu fais comme ça ?
– Eh bien, figure-toi que, ce matin,
j'ai fait tomber 1 franc dans l'avoine,
mon cheval l'a avalé, et moi j'attends
maintenant qu'il ressorte… »

« Pourquoi considère-t-on qu'Ève est le plus grand ingénieur agronome de tous les temps ?
– Parce qu'elle est la seule personne qui soit parvenue à faire manger une pomme par une poire ! »

« Comment se fait-il, monsieur Duchmoll, que, lorsque j'entre dans votre bureau, je vous trouve toujours en train de ne rien faire ?
– C'est à cause de vos nouvelles chaussures !
– Hein ?
– Oui, avec leurs semelles de caoutchouc, je ne vous entends plus arriver. »

Un malfaiteur vient de s'évader du poste de police. Le commissaire appelle le policier Crampon :
« Mais, enfin, je vous avais bien dit de garder toutes les sorties !
– Oui, patron, mais il est parti par l'entrée ! »

Dans une librairie de Bastia, un jeune Corse demande un livre de maths.
« Je vous conseille celui-ci, dit le libraire. Quand vous l'aurez lu, votre travail sera à moitié fait.
– Vraiment ? Dans ce cas, donnez-m'en deux ! »

Un Noir arrive dans une banque pour faire un hold-up et crie :
« Les mains en l'air, tout le monde ! Je veux des g'os billets ! »
Alors, le caissier part et revient quelques minutes après avec une bassine !

« Ah, Angus ! te voilà en vacances à Londres ?
– Oui, je suis en voyage de noces.
– Ben, où est ta femme ?
– Elle est restée à la maison. Figure-toi qu'elle connaissait déjà Londres ! »

C'est une tache de rousseur qui dit à un point noir :
« Quel ambitieux, tu es ! Tu ferais n'importe quoi pour percer. »

Un petit garçon est assis dans le fauteuil du dentiste. Mais ça n'a pas l'air de se passer très bien. Sa maman supplie :
« S'il te plaît, Pierre-Louis, sois gentil, fais "aah..." pour que le monsieur puisse retirer sa main. »

À la terrasse d'un café, une dame qui a été très belle demande avec coquetterie au garçon :
« Ce monsieur n'arrête pas de me regarder. Savez-vous qui il est ?
– Oui, madame, c'est un antiquaire ! »

Un matin, tôt, il y a déjà la queue devant la boulangerie. Un petit homme arrive après les autres. Il essaie de se faufiler pour gagner le premier rang. Mais les clients refusent de le laisser passer. Une grosse dame lui crie :
« Hé, à la queue comme tout le monde ! »
Alors, furieux, le petit homme déclare :
« Puisque c'est comme ça, je n'ouvrirai pas ce matin ! »

Le P.-D.G. de Coca-Cola va trouver le pape et lui propose une fortune pour transformer le *Notre-Père*. Il voudrait que les gens disent : *« Donnez-nous notre coca-cola quotidien. »*
Le pape refuse, se met en colère et le met à la porte. Alors le P.-D.G. s'en va, furieux lui aussi, en disant :
« *"Notre pain quotidien, notre pain quotidien !"* Je me demande combien les boulangers lui ont donné pour qu'on dise ça ! »

Deux copains voleurs
se rencontrent dans la rue :
« Tiens, mais c'est Paulot !
– Comment vas-tu, Freddy ?
Ça fait longtemps que nous
ne nous sommes pas vus.
– Oh oui, il faut fêter ça ! Viens,
allons prendre quelque chose…
– D'accord ! À qui ? »

C'est une ambulance, très très
pressée. Tellement pressée qu'elle
renverse un piéton. Du coup,
elle s'arrête et le transporte
directement à l'hôpital. En arrivant
aux urgences, l'ambulancier dit
au médecin :
« Eh ben, dites donc, heureusement
que nous étions là ! »

Au cours de l'entretien
d'embauche d'une jeune femme,
l'employeur lui demande :
« Vous avez déjà eu des
responsabilités dans votre
précédent travail ?
– Oh oui ! sans problème.
– De quel ordre ?
– Ben, chaque fois qu'il y avait
quelque chose qui ne marchait
pas, c'était moi la responsable ! »

Un monsieur très chic vient d'être arrêté. Il est furieux :
« Mais, enfin, je ne faisais rien de mal. Je suis un honnête archéologue.
– Bon, alors, expliquez-moi pourquoi on vous a surpris en train de mettre la main dans le sac d'une vieille dame.
– Mais justement, monsieur, justement. Je suis archéologue, alors je me livrais à des fouilles ! »

Un jeune homme se rend chez son futur beau-père qui est boucher :
« Je viens demander la main de votre fille.
– D'accord, mais vous prenez aussi le reste ! »

« Que dit une fan qui change de couleur, à la seule idée d'entendre son chanteur préféré ?
– Ah, j'en jaunis à l'idée ! »

(Johnny Hallyday.)

Un Belge, un Suisse et un Français discutent. Le Belge dit :
« Cet hiver, je serai à Courchevel.
– Et moi, je serai à Courmayeur, dit le Suisse.
– Ben moi, je serai plutôt à court d'argent ! » s'exclame le Français.

Un cow-boy, qui est accusé d'avoir volé un cheval, explique au shérif :
« Écoutez, c'est injuste. Moi, je ne voulais voler que la selle. Ça n'est pas ma faute si le cheval a suivi ! »

Un Écossais, qui veut visiter Londres, demande à un chauffeur de taxi :
« Combien pour faire le tour de la ville ?
– Deux livres pour votre femme, deux livres pour vous et gratis pour vos trois enfants.
– Dans ce cas, répond l'Écossais, prenez les enfants. Ma femme et moi, nous irons à pied ! »

Un livreur doit porter un ordinateur au sixième étage, chez une dame très avare.
Il dépose son paquet et fait signer le reçu. En fermant la porte, la dame lui glisse quelque chose dans la poche en disant :
« Tenez, c'est pour prendre un café. »
Il va donc boire un café au bar d'à côté. Au moment de payer, il cherche la pièce dans sa poche et y trouve… un sucre !

« Chez les clowns, quelle est l'heure idéale pour se maquiller ?
– Minuit, car c'est l'heure du grime ! »

Un couple assis dans un cinéma regarde un film policier.
« Je parie que c'est Gérard Depardieu qui a tué la victime, dit la femme.
– Mais enfin, chérie, répond son mari, Gérard Depardieu ne joue pas dans ce film.
– Justement, quel alibi ! »

Une brave dame, qui prend le métro, voit un mendiant qui n'a plus de bras.
Un peu surprise, elle lui dit :
« Mais je ne comprends pas, la semaine dernière, vous étiez aveugle !
– Oui, madame, mais quand j'ai recouvré la vue, ça m'a fait un tel choc que les bras m'en sont tombés ! »

Un client entre dans un grand magasin et dit :
« Je voudrais un portefeuille imperméable.
– Pourquoi imperméable ?
lui demande le vendeur.
– Pour mettre de l'argent liquide ! »

« Pourquoi les plombiers ne sont-ils jamais applaudis à temps lorsqu'ils racontent une blague ?
– Parce qu'on attend toujours la fuite de l'histoire… »

Loulou est un petit malin.
Il dit à son papa :
« Qu'est-ce que tu me donnes si je te fais économiser 15 francs ?
– Je t'en reverse la moitié :
7 francs 50.
– Bon, eh bien, tu peux me les donner tout de suite. Tu m'avais promis 15 francs si j'étais dans les dix premiers de la classe. Comme je suis onzième, je te fais économiser 15 francs, non ? »

Un étudiant à court d'argent écrit à son père très avare :
« *Pourrais-tu m'envoyer 100 francs ?* »
Et son père lui répond :
« *Je constate que tu ne fais pas de progrès en mathématiques. Tu écris encore 10 avec deux zéros.* »

C'est un mendiant qui dit à une très grosse dame :
« Je n'ai pas mangé depuis trois jours.
– Quelle chance, vous allez maigrir ! »

John, un petit Écossais, rentre chez lui, triomphant :
« Papa, j'ai gagné 3 francs 50.
J'ai raté le bus, et alors j'ai couru derrière lui tout au long du chemin.
– Idiot, répond son père, si tu avais couru derrière un taxi, tu aurais économisé au moins 50 francs ! »

« Quand les fleuristes connaissent-ils une grande détresse ?
– Lorsqu'ils ne parviennent pas à se débarrasser de leurs soucis ! »

Dans la rue, un clochard tend la main. Passe une bonne dame qui lui donne 20 centimes.
Et qui s'indigne :
« Qu'est-ce qu'on dit ?
– Encore ! »

Cela se passe à la Martinique. L'agent Crampon essaie en vain de faire un nœud à sa cravate. Passe une belle Martiniquaise. En le voyant, elle s'exclame :
« L'agent ne fait pas le beau nœud ! »

(L'argent ne fait pas le bonheur !)

Un médecin dit à son patient :
« Finis les cigarettes, l'alcool, les restos, les boîtes de nuit...
– Ah ? Et vous croyez que cela va me sauver, docteur ?
– Non, mais cela vous donnera au moins la possibilité d'économiser pour me régler mes honoraires en retard ! »

« Alors, mon vieux, ta femme est toujours aussi dépensière ?
– M'en parle pas ! Je lui avais acheté le livre *Comment faire des économies dans votre ménage.*
– Oui. Et alors ? Elle l'a lu ?
– Ben, sûr qu'elle l'a lu. Et depuis, elle m'interdit d'acheter des cigarettes ! »

C'est un vendeur dans un grand magasin, qui baratine son client : « Voilà, je vous conseille cette canne à pêche. Elle est chère, mais il n'y a rien de mieux. Pas un seul poisson ne vous résistera. Et puisque vous allez prendre du poisson, il vous faut aussi une épuisette. Vous avez ça ? Non ? Celle-ci est parfaite.

Et au fait, j'y pense… Avez-vous un bateau ? Non ? Mais alors, comment allez-vous faire pour pêcher ? Venez, suivez-moi au rayon "Bateau". Malheur aux poissons ! Ah, ah ! Vous allez pouvoir accrocher le bateau derrière la voiture. Comment ? Vous n'avez qu'un vélo ? Mais il vous faut une auto.

Tenez, suivez-moi, j'en ai justement une très bien. C'est la plus chère, mais, vous savez, vous ne regretterez pas cet investissement.
Voilà, vous avez tout ? Très bien, allons à la caisse... »
Le client part, non sans avoir fait un très gros chèque. Le directeur du magasin s'approche et félicite son vendeur :
« Bravo ! Ce monsieur n'était entré que pour une canne à pêche, et vous...
– Attendez, répond le vendeur, c'est beaucoup mieux que ça. Je l'ai rencontré à la pharmacie où il achetait de l'aspirine pour sa femme. Je lui ai dit :
"Puisque votre femme est malade, pourquoi n'iriez-vous pas à la pêche ? »

« Quel est le seul chauffeur de France à qui l'on ordonne de lire lorsqu'il conduit ?
– C'est le chauffeur du président de la République. À chaque fois qu'il monte en voiture, le président lui dit : "À l'Élysée !"

(Allez, lisez)

« Pourquoi les pompiers sont-ils parfaits dans leurs intentions ?
– Parce qu'ils veulent rester sapeurs et sans reproches ! »

« Alors, c'est entendu, dimanche, vous venez déjeuner dans notre maison de campagne ?
– Volontiers. Mais comment fait-on pour s'y rendre ?
– Oh ! vous prenez le train. En sortant de la gare, vous marchez 100 mètres, vous tournez à droite, vous poussez la porte de la maison avec le pied et vous y êtes !
– Bon… Mais pourquoi doit-on pousser la porte avec le pied ?
– Comment ? Vous n'allez tout de même pas venir chez nous les mains vides, non ? »

Avis aux messieurs : ne demandez jamais à votre jolie concierge la permission de lui faire la cour. Vous risquez trop qu'elle vous tende son balai !

Deux écrivains discutent.
« Que faites-vous en ce moment ? demande l'un.
– Je suis en train d'écrire mes mémoires.
– Ah bon ? Et en êtes-vous arrivé au jour où je vous ai prêté 10 000 francs ? »

Le 1er Mai, un automobiliste est arrêté pour excès de vitesse. Heureusement, le policier Crampon a le cœur tendre :
« Écoutez, je ne veux pas vous gâcher votre 1er Mai. Alors, je vais dater la contravention du 2 ! »

« Pourquoi y a-t-il beaucoup de clochards au bord de la mer ?
– Parce que les vagues abondent ! »

(Vagabondent)

Le ministre de la Santé visite un hôpital.
Accompagné du médecin-chef de service, il arrive devant un malade couvert de boutons et qui essaye frénétiquement de se mordre l'oreille.
« Et celui-là, de quoi souffre-t-il ? demande le ministre.
– D.S.L.S., répond fermement le médecin.
– D.S.L.S. ? Qu'est-ce que ça veut dire ?
– Dieu Seul Le Sait ! »

« Écoutez, dit une dame à son dentiste, je viens vous voir pour une grosse molaire complètement pourrie. Il faut sûrement l'arracher, mais je ne veux pas d'anesthésie. D'accord ?
– Madame, c'est comme vous voulez. Je tiens cependant à vous féliciter pour votre courage et... »
Mais la femme est déjà partie vers la salle d'attente et crie :
« Jules, viens faire voir ta dent ! »

« Quelle est la différence entre les galets et les chauffeurs de taxi ?
– Les galets, plus ils ont roulé, plus ils sont polis ; et les chauffeurs de taxi, plus ils ont roulé, moins ils sont polis. »

« Quelle est la différence entre un Corse et un Parisien ?
– Le Parisien dit :
"Chouette, demain c'est dimanche, on va pouvoir se reposer."
Le Corse dit :
"Oh ! là ! là ! après-demain c'est lundi, il va falloir travailler !" »

Un couple de touristes se promène dans le Midi de la France.
« Tiens, dit la femme, on pourrait se promener sur la plage et aller jusqu'au coin de la rue, acheter de la crème solaire à la pharmacie.
– Écoute, dit son mari. On est en vacances, non ? Pourquoi est-ce qu'il faudrait tout faire le même jour ? »

« Que disent deux pyromanes lorsqu'ils se rencontrent ?
– Alors, on s'embrase ! »

Augusto s'est installé pour la sieste dehors dans un transat, avec un bon cigare. Mais, très vite, ça sent le brûlé.
« Augusto, s'écrie sa femme, affolée, tu ne vois pas que ta barbe est en train de brûler ? Dépêche-toi de faire quelque chose.
– Mais je n'arrête pas de faire quelque chose ! Figure-toi que je suis en train de prier Dieu pour qu'Il fasse pleuvoir ! »

C'est un Corse qui dit :
« Quand je pense que mon cœur bat des dizaines de fois par minute, que mes poumons inspirent des centaines de mètres cubes d'air par jour, que je prononce 40 000 mots par semaine, que mes cheveux poussent d'un dixième de millimètre par jour, c'est là que je me rends compte que j'ai vraiment besoin de me reposer ! »

« Dans quelle circonstance une pierre est-elle inquiète ?
– Quand elle ne sait pas quelle carrière choisir. »

Sur un chantier, un contremaître observe un ouvrier en train de creuser un trou. Au bout d'un moment, le contremaître lui dit :
« Sors du trou. »
Et l'ouvrier sort.

« Maintenant, reviens dans le trou. »
Et l'ouvrier obéit.
« Sors du trou... »
Et ainsi de suite pendant un bon quart d'heure. Jusqu'à ce que l'ouvrier, énervé, demande :
« Mais, enfin, qu'est-ce que ça signifie ?
– C'est pour augmenter la production. Tu dégages plus de terre avec la semelle de tes chaussures qu'avec ta pelle ! »

À la ferme :
« C'est la dernière fois que je viens acheter mon lait chez vous. Vous avez mis au moins un tiers d'eau dedans.
– Mais non, monsieur : l'été a été très chaud et les vaches ont beaucoup bu, c'est tout ! »

« Pourquoi les employés des P.T.T. sont-ils croyants ?
– Parce que le cachet de La Poste fait foi ! »

« Pourquoi les paysans restent-ils toujours jeunes ?
– Parce que, quand on sème, on a toujours vingt ans ! »
(Quand on s'aime)

« Ma chérie, est-ce que ma braguette est déboutonnée ?
– Euh... Non.
– Bon, ça ne fait rien, je ferai pipi demain ! »

« Monsieur Duchmoll, vous êtes renvoyé de l'usine.
– Mais je n'ai rien fait !
– Justement ! »

« Oh ! 500 francs le repas ! se plaint le client au patron du restaurant. J'espère que vous allez accorder une petite réduction à un collègue ?
– Vous aussi, vous tenez un restaurant ?
– Non, mais, moi aussi, je suis un voleur ! »

« Quelle est la ressemblance entre une maison de retraite et une poissonnerie ?
– Le vieillard en sort et le vieil hareng saur ! »

C'est une pelle qui sort dans la rue et qui discute avec une poubelle :
« Ce soir, je serai la plus pelle pour aller danser.
– Non, c'est moi qui suis bien poubelle que toi ! »

Un vieux monsieur, très avare, prenait tous les jours son café dans le même bistrot.
Il le prenait sans sucre ni lait. C'est parce qu'il avait passé un accord avec le barman : le dernier jour du mois, il repartait avec trente sucres et un demi-litre de lait !

« Quel est le comble de la prévoyance ?
– Offrir des pantoufles à une dent qui se déchausse. »

Pendant qu'on fait le plein de leur voiture, deux fiancés romantiques se regardent dans le blanc des yeux :
« Ma chérie, tu es Shell que j'aime.
– Pour quel Mobil, mon amour ?
– Parce que tu es Fina tous les points de vue.
– T'Esso, va !
– Ah ! je t'aime d'un amour Total. »

« Si tu veux un conseil, ne va pas là-bas.
– Ah bon ! c'est dangereux ?
– Non, mais il y a des choses qui pourraient te choquer.
– Tu plaisantes ! Qu'est-ce qu'il y a de si affreux là-bas ?
– Eh ben, là-bas, il y a des gens qui courent pour aller travailler ! »

« Prenez ce médicament, dit le docteur à son malade : quatre cuillerées à soupe avant chaque repas.
– Mais, docteur, je suis très pauvre. À la maison, on n'a que trois cuillères ! »

Deux commerçants discutent sur le pas de leur porte :
« D'après moi, il n'y a qu'une manière de gagner de l'argent honnêtement.
– Laquelle ?
– Ah, je savais bien que vous ne la connaissiez pas ! »

Un collectionneur fouine
dans une boutique d'antiquaire
et découvre un buste de Louis XVI.
« Combien, ce buste ?
– 100 francs.
– C'est cher, et puis, vous voyez,
le cou a été recollé.
– Vous ne saviez pas qu'il a été
décapité ? »

Un Écossais va consulter
un médecin.
Après l'avoir ausculté, celui-ci
avoue :
« Vraiment, je ne vois pas
ce que vous pouvez avoir…
– Et si je vous le dis, est-ce que
vous me ferez une petite réduction ? »

À l'armée, une nouvelle recrue est interrogée par le sergent :
« Qu'est-ce que vous faites dans le civil, vous ?
– Interprète. Je suis polyglotte.
– Qu'est-ce que ça veut dire ?
– Ça veut dire que je possède cinq langues.
– Très bien, vous irez au service du courrier : vous lécherez les enveloppes ! »

Une dame dit à son dentiste :
« Vous n'arrêtez pas, docteur !
– C'est vrai, je suis toute la journée sur les dents ! »

Un journaliste demande à un peintre pourquoi il ne peint que des paysages.
Celui-ci explique :
« Je préfère les paysages, parce que je n'ai jamais entendu un arbre se plaindre de ce qu'il n'était pas ressemblant ! »

Quelle horreur !

Cet homme n'en peut plus
de la vie. Il est trop malheureux et
décide de se pendre dans un bois.
Il a déjà la corde au cou, quand un
curé passe par là en vélo. Bien sûr,
il essaie de le dissuader :
« Mon fils, la vie est belle. Écoutez :
lisez la Bible, elle vous délivrera
un message d'espoir, de joie…
Ouvrez une page au hasard et vous
saurez quoi faire. »
L'homme ouvre la Bible et lit :
« Repens-toi ! »

Grand-père est en train
de mourir et, devant son lit,
ses héritiers se disputent pour
savoir si on lui fera un enterrement
de première, de deuxième ou
de troisième classe. Tout le monde
est d'avis de dépenser le moins
d'argent possible.
C'est alors qu'on entend
grand-père retrouver un peu
de forces pour lancer :
« Si vous voulez, je peux y aller
à pied ! »

Deux tomates traversent
la route. L'une d'elles se fait écraser.
L'autre lui dit :
« Tu viens, ketchup ! »

« Pourquoi tant de culs-de-jatte
se font-ils construire des résidences
secondaires ?
– Pour avoir un petit pied-à-terre ! »

Au Far West. Le saloon se trouve
en face du cimetière. À l'entrée
du saloon, le patron a accroché
un écriteau :
Quoi qu'on dise, quoi qu'on fasse,
on est mieux ici qu'en face.
Et sur la porte du cimetière, on
peut lire :
Quoi qu'on dise, quoi qu'on fasse,
tous ceux qui sont ici viennent
d'en face.

Le navire a fait naufrage.
L'équipage dérive sur la mer
à bord d'un radeau de fortune.
Bientôt les marins n'ont plus rien
à manger. Alors, le capitaine a un
geste héroïque : il décide de se
sacrifier pour que les autres
survivent. Il pointe son revolver sur
son front. Mais, au dernier
moment, l'un de ses hommes
détourne l'arme et s'écrie :
« Non ! Pas là ! La cervelle est
le morceau que je préfère ! »

Un cul-de-jatte va chez le coiffeur.
« Voulez-vous que je vous coupe les pattes ? demande le coiffeur.
– Vous vous fichez de moi ?
lui répond le cul-de-jatte.
– Ne vous fâchez pas ! C'était seulement pour vous faire marcher !
– Eh bien, je ne suis pas près de remettre les pieds chez vous ! »

Hector Brame revient d'un safari au Kenya et raconte son aventure à ses amis :
« J'ai tué beaucoup d'animaux.
Le premier jour : deux lions, un éléphant, une girafe, et deux panou-panou.
– C'est quoi, un panou-panou ?
– Attendez… Le deuxième jour, j'ai tué dix lions, cinq gazelles et trois panou-panou.
– Mais, à la fin, peux-tu nous dire ce que c'est qu'un panou-panou ?
– Eh bien, ils ont une tête noire, des cheveux frisés, des lèvres épaisses et ils crient toujours :
"Pas nous, pas nous !" »

« Pourquoi un manchot ne peut-il remettre son travail à plus tard ?
– Il ne peut le remettre à deux mains ! »

Hector Brame est ravi de son safari en Afrique. Il est invité par son guide, dans une tribu, en pleine brousse. En plaisantant, il dit :
« Hum, il n'y a plus de cannibales ici ?
– Bien sûr que non ! J'ai mangé le dernier ! »

Un ouvrier agricole se présente dans une ferme pour une embauche.
« Pourquoi êtes-vous parti de votre précédent emploi ? lui demande le cultivateur. Ça faisait trente ans que vous étiez là, nourri, logé...
– Nourri, nourri, oui. Mais, quand une poule mourait, on en mangeait pendant deux jours. Quand un veau mourait, on en mangeait pendant une semaine... Alors, vous comprenez, quand le grand-père est mort... »

Dans la rue de la Cerise-à-l'Eau, habitent deux M. Dupont(d) : DuponT et DuponD.
Malheureusement, DuponD meurt. Et le même jour, DuponT part en voyage en Afrique. Aussitôt arrivé à son hôtel, il envoie un télégramme à sa femme. Seulement, le facteur se trompe d'adresse. Il donne le télégramme à la femme de celui qui est mort, Mme DuponD.
Et la pauvre veuve lit :
Suis bien arrivé. Stop. Chaleur horrible. Stop.

Un scénariste de cinéma a écrit une histoire carrément nulle.
Bien entendu, aucun producteur ne s'y intéresse. Pourtant, un jour, il croise un ami réalisateur qui lui dit :
« Ah, cher ami ! Zanuck a dévoré votre scénario.
– Oh, merveilleux ! » dit le scénariste qui en a les larmes aux yeux d'émotion.
À ce moment-là, l'ami se retourne et appelle son chien :
« Zanuck, viens ici !!! »

« Je n'ai plus beaucoup de cheveux, se plaint un homme à son coiffeur. Qu'est-ce que vous me conseillez pour les conserver ?
– Un médaillon ! »

En classe, la maîtresse interpelle Loulou :
« Écoute, je crois que tu devrais faire un effort pour être un peu plus propre.
– Mais, madame, je prends un bain tous les soirs !
– Alors, un conseil : change l'eau ! »

« Monsieur le curé, demande cette pauvre femme qui vient de perdre son mari, ça va me coûter combien, l'enterrement ?
– Ça dépend de ce que vous voulez : pour 20 cierges, c'est 2 000 francs ; avec 10, c'est 1 000 francs et avec 5, 500 francs seulement.
– Bon... alors, vous ne m'en mettrez qu'un seul !
– Comme vous voulez, dit le curé, mais je vous préviens : ça sera moins gai ! »

Jules et Jo rentrent de la chasse. Ils s'arrêtent soudain devant une déjection animale.
« À ton avis, c'est quoi ? demande Jules. Une crotte de lapin ?
– Je crois plutôt que c'est une crotte de chien.
– Comment savoir ?
– Facile, on va goûter. »
Et Jo se baisse, met le doigt dedans et goûte.
« Oui, il me semble bien.
– Attends, je goûte aussi ! »
Jules met lui aussi le doigt dedans et le lèche soigneusement.
« Ouais, c'est sûr, c'est de la crotte de chien !
– Eh ben, dis donc, quand je pense qu'on a failli marcher dedans ! »

Dans la prairie, deux cow-boys marchent vers leurs chevaux.
Tout à coup, l'un d'eux tombe dans un trou.
« Lance-moi un lasso et sors-moi de là », demande-t-il à l'autre cow-boy.
Celui-ci lance un lasso et le gars, au fond du trou, s'y agrippe en disant :
« Maintenant, tire ! »
Alors, le cow-boy qui a lancé le lasso sort son revolver et tire !!!

Deux fous, Jules et Jo, partent à la chasse. Ils voient passer un deltaplane.
Jules épaule et tire.
« Bah, tu l'as raté ! dit Jo.
– Oui, mais regarde : il a lâché sa proie ! »

« Comment un croque-mort appelle-t-il ses chaussures noires ?
– Mes pompes funèbres ! »

« Comment s'appelle un groupe musical sans contrat ?
– Un groupe sans gains. »

(Sanguin)

« Quelle est la lettre la plus dangereuse de l'alphabet ?
– Le Y. Car, à un Y près, Noé était Noyé ! »

Il est remarquable de constater que les journaux coupés en morceaux n'intéressent absolument pas les femmes, alors que les femmes coupées en morceaux intéressent énormément les journaux !

« Tiens, je vais te raconter une super histoire belge…
– Fais attention, je suis Belge.
– C'est pas grave, je te la raconterai deux fois ! »

Un type va mourir. Toute sa famille est réunie autour de lui, la nuit, pour lui dire un dernier adieu. Au bout d'un moment, sa femme soupire et dit :
« Bon, c'est pas tout ça, mais moi je vais me coucher. »
Tout le monde est stupéfait, le mourant le premier. D'une voix faible, il parvient à articuler :
« Trente ans de mariage, et tu me fais ça ? Je vais mourir, et toi tu vas te coucher !
– T'es marrant, c'est pas toi qui te lèves demain matin ! »

Un milliardaire de Boston vient d'acheter un cadeau à son chien-chien d'amour :
il lui a offert un petit garçon !

Dans ce pommier, une belle pomme a poussé.
Elle est grosse, rouge, tendre,
et se prend pour la reine
du verger.
D'ailleurs, elle se moque
toujours d'une petite crotte
qu'un chien a laissée au pied
du pommier :
« Qu'est-ce que tu es moche,
en plus, tu sens mauvais... »
Un jour, un gamin passe,
cueille la pomme et la mange.
Alors la crotte dit à la pomme :
« À tout à l'heure, prétentieuse ! »

Une jeune femme admire
le nouveau manteau de fourrure
qu'arbore une de ses copines :
« Ton vison est vraiment splendide.
Mais ça ne te gêne pas
qu'un animal innocent paye
pour tes caprices ?
– Depuis quand tu prends
la défense de mon mari, toi ? »

Deux vieux amis brouillés depuis vingt ans se retrouvent par hasard à un réveillon.
Timidement, ils se serrent la main :
« C'est idiot, cette brouille, non ?
Si on faisait la paix ?
– Tu as raison. Et pour cette nouvelle année, permets-moi de te souhaiter tout ce que tu me souhaites.
– Ah non, tu vois, tu recommences ! »

Une femme très avare téléphone à son journal et demande à parler au responsable des petites annonces :
« Je voudrais passer une annonce.
– Bien. Quel est le texte ?
– *Durand mort.*
– *Durand mort* ? C'est tout ?
– Oui.
– Mais vous avez droit à cinq mots.
C'est le même prix.
– Ah bon ? Alors c'est différent ;
mettez : *Durand mort, voiture à vendre !* »

« Qu'est-ce qui fait trente mètres de long, chante et danse à la fois ?
– Une farandole dans une maison de retraite ! »

Un aveugle de naissance raconte son enfance malheureuse :
« Le pire à la maison, c'était quand je faisais une bêtise. Pour me punir, mes parents me confisquaient ma canne blanche et changeaient les meubles de place ! »

Un ivrogne entre dans l'un des côtés d'un confessionnal. Dix minutes après, le curé arrive, ouvre la porte du milieu, s'installe et demande :
« Oui, mon fils, je vous écoute. Qu'avez-vous à me dire ?
– J'ai pas de papier pour m'essuyer : est-ce que tu en as de ton côté ? »

« Quel arbre est toujours mort ?
– Le sycomore ! »

Au bal de l'Opéra, un type en smoking en croise un autre dans un couloir :
« Belle soirée, belles femmes, non ?
– Oui, jolies toilettes.
– Ah ça, je n'en sais rien.
– Comment cela ?
– Je n'y suis pas encore allé ! »

Un lord, veuf depuis peu,
se rend à une réception donnée
par un ami. Un domestique passe
avec un plateau de toasts.
« Non merci, lui dit-il,
pas de saumon : je suis en deuil !
Apportez-moi plutôt du caviar. »

Un aveugle croise
un paralytique.
« Comment allez-vous ? demande
l'aveugle.
– Comme vous voyez », répond
le paralytique.

Un curé modèle et un chauffeur
de taxi ayant causé beaucoup
d'accidents arrivent au Paradis.
Saint Pierre fait immédiatement
entrer le chauffeur au Paradis
mais refuse le curé. Celui est
scandalisé :
« Comment, vous faites entrer
ce chauffard, et pas moi ?
– Oui, répond saint Pierre :
pendant que vous disiez la messe,
tout le monde dormait,
mais pendant qu'il conduisait,
tout le monde priait ! »

Minuit, l'heure du crime !
Un homme descend lentement
les escaliers.
Il cherche un mort... un mort...
un morceau de camembert !

Minuit, l'heure du crime !
Un enfant, seul dans le noir, debout sur son lit, hurle : « Maman, pipi ! »

Minuit, l'heure du crime !
Un homme s'arme d'un couteau pointu. Il veut découper un vieil… un vieillard… un vieil artichaut !

« Que faut-il faire pour appartenir au Club des fans de Dracula ?
– Écrire ton nom, ton adresse, ton âge et ton numéro de groupe sanguin dans une enveloppe timbrée. »

« Où Dracula garde-t-il son argent ?
– À la banque du sang ! »

« Qu'est-ce que tu fais sur cette route, Dracula ?
– Je regarde si c'est l'artère principale ! »

« Arrête de sucer ton pouce, Frank, dit le médecin. Enlève-le de ta bouche, je vais le recoudre dans deux minutes ! »

« Avez-vous entendu parler de cet idiot à qui on avait implanté un cerveau artificiel ?
– Oui, le cerveau l'a rejeté ! »

« Qu'est-ce qu'on obtient quand un démon commence à expliquer quelque chose ?
– Une démonstration ! »

« Je n'arrête pas de rêver de grands monstres rouges avec des dents vertes.
– As-tu vu un docteur ?
– Non, seulement de grands monstres rouges avec des dents vertes. »

« Qu'est-ce que je dis à un monstre qui me court après ?
– Tout ce que tu veux, du moment que tu cours vite ! »

« Docteur, docteur, je pense que je… que je…
– Ne m'en dites pas plus, j'ai compris : vous vous prenez pour un fantôme…
– Comment avez-vous deviné ?
– Oh, rien qu'à votre façon de traverser le mur… »

« Si tu es près d'une maison hantée et que l'horloge de l'église sonne douze fois, quelle heure est-il ?
– L'heure de rentrer dare-dare à la maison ! »

« Quelle est la mer préférée des fantômes ?
– La mer Morte ! »

« Quelle est dans un magazine la rubrique préférée des fantômes ?
– L'horreurscope ! »

« Qu'est-ce qui t'arrive si tu traverses l'Atlantique avec le *Titanic* ?
– Tu as fait la moitié du chemin ! »

« Qu'est-ce qu'un cyclope ?
– C'est un monstre qui n'a qu'un œil et qui roule à bicyclette ! »

Le client :
« Est-ce que l'orchestre peut jouer tout ce que je veux ?
– Oui, monsieur.
– Alors, dites aux musiciens de jouer aux cartes ! »

« Qu'est-ce qui est grand, plein de poils et qui vole vers New York à 2250 kilomètres à l'heure ?
– Le king-kongcorde ! »

Le coiffeur :
« Est-ce que vous portiez une écharpe rouge en entrant ici ?
– Non, elle est bleue.
– Alors, désolé, je vous ai écorché le cou ! »

« La police recherche un homme avec un seul œil appelé Jules Dubois.
– Ah oui ? Et comment s'appelle l'autre œil ? »

« Qu'est-ce qu'il faut faire si on avale une ampoule électrique ?
– Utiliser une bougie ! »

« J'ai fini par guérir mon fils
de sa sale manie de se ronger
les ongles.
– Formidable. Et comment as-tu
fait ?
– Je lui ai arraché toutes ses dents ! »

« Quel temps fait-il
à l'enterrement d'un pendu ?
– Il tombe des cordes ! »

Ci-gît M. Dupont, garagiste :
il a rejoint le royaume d'essieu.
Ci-gît Noé : après lui, le déluge !
Ci-gît Louis, ce pauvre roi :
on dit qu'il fut bon, mais à quoi ?
Ci-gît : Gabrielle, repasseuse
elle passa, repassa et trépassa !

« Quel est le comble pour
une reine ?
– Confondre son trône avec
celui du petit coin… »

Sur son lit de mort, un Corse dit
à sa femme :
« Promets-moi, après ma mort,
d'épouser Franceschi.
– Mais tu le détestes. »
Alors le Corse, dans un dernier
sursaut :
« Justement ! »

Dans un petit village,
une ménagère explique
aux gendarmes venus l'interroger :
« Vous savez, ici, c'est un village
comme il y en a tant.
Nous formions, mon mari et moi,
un couple comme il y en a tant.
Nous avions des disputes, bien sûr,
comme il y en a tant.
Mon mari était chasseur, comme
il y en a tant. Hier, il allait nettoyer
son fusil, comme souvent.
J'ai malencontreusement appuyé
sur la détente. C'est un accident,
comme il y en a tant ! »

« Mais, enfin, quelle idée
de tirer à coups de pistolet sur
l'horloge de l'église ?
– Que voulez-vous ? On s'ennuyait ;
alors, il fallait bien tuer le temps ! »

« Vous avez cassé une chaise
sur la tête de votre femme.
Reconnaissez-vous les faits ?
– Oui, monsieur le président.
– Qu'avez-vous à dire pour
votre défense ?
– Que c'est un accident.
– Un accident ? Comment cela ?
– Ben voilà, monsieur le président,
je n'avais pas l'intention de casser
la chaise ! »

Par le hublot d'un avion, un passager voit passer un parachutiste.
« Faites donc comme moi, lui crie celui-ci.
– Pas fou, non ?
– Comme vous voudrez, répond le parachutiste. Seulement, je vous préviens, c'est moi le pilote de l'appareil ! »

Cette vieille fille dit à une amie :
« Mon voisin a passé toute la matinée à me regarder.
Vous savez, le beau brun.
– Oui, je le connais, le pauvre !
– Pourquoi : il est malheureux ?
– Non, mais il est myope comme une taupe ! »

Un homme vient au chevet
de son ami, mourant.
Sa femme lui dit : « Tâchez de lui
remonter le moral, dites-lui
que son état n'est pas si grave… »
L'ami se trouve depuis quelques
minutes dans la chambre,
lorsque quelqu'un vient ouvrir
la fenêtre, provoquant un terrible
courant d'air.
« Fermez donc ça, explose
l'ami. Vous allez nous faire crever…
nous aussi ! »

Un fossoyeur rentre tard chez
lui. Il explique à sa femme :
« Je viens d'enterrer un grand
acteur. Il y a eu beaucoup
de monde, beaucoup de discours.
Et tellement d'applaudissements
que j'ai dû le remonter dix fois ! »

Un clochard a tellement faim
qu'il mange son chien. Quand
c'est fini, il contemple tristement
le tas d'os par terre et s'écrie :
« Pauvre Médor, comme il se serait
régalé avec les os ! »

« Monsieur l'agent, je viens me plaindre de mon mari. Il me bat tous les soirs.
– Ça m'étonnerait, madame, étant donné qu'il est manchot.
– Eh bien, justement, il me bat à bras raccourcis ! »

C'est un habitant du village de Poil auquel on demande :
« Où êtes-vous né ?
– À Poil !
– Eh bien, moi aussi, figurez-vous ! »

Monsieur et Madame sont au salon, chacun dans leur fauteuil, sans parler. Finalement, Monsieur demande :
« À quoi penses-tu ?
– À rien.
– Enfin, on ne peut pas penser à rien !
– Si : je pensais au cadeau d'anniversaire que tu ne m'as pas offert, il y a un quart d'heure ! »

Un fou court en se tenant les deux fesses.
« Ou vas-tu ? lui demande son copain.
– Je vais le changer, il est fendu ! »

Une jeune chanteuse avoue à son amie :
« Oui, c'est vrai, je reste chaque jour des heures devant mon miroir, à admirer ma beauté. Tu dois appeler cela de la vanité.
– Oh non, ma chère, tout au plus de l'imagination ! »

Quelques années après la Révolution française, une femme dont le mari a été guillotiné voyage en compagnie de son fils.
Par hasard, elle retrouve une connaissance qui lui dit :
« Chère amie, quel plaisir de vous revoir ! Et votre fils, c'est un grand jeune homme maintenant, il a bien une tête de plus que son père ! »

Un petit garçon pleure :
« Maman est très méchante, elle vient de noyer deux petits chats.
– Pauvre petit, tu aurais voulu les garder ?
– Oh non, j'aurais voulu les noyer moi-même ! »

« Comment ça s'est passé, tes vacances au bord de la mer ?
– Non, j'ai perdu une jambe !
– Oh ! Comment ça ?
– Je nageais dans l'eau et j'ai senti une petite fatigue. Alors, j'ai fait la planche. À ce moment-là est arrivé un poisson-scie ! »

La nuit, dans un petit village. Un automobiliste se renseigne :
« Vous avez des chevaux noirs, ici ?
– Non.
– Des vaches noires ?
– Non.
– Alors, j'ai écrasé le curé ! »

Un condamné à mort est sur le point de se faire guillotiner. Pendant qu'on lui dégage le cou, il s'adresse avec colère au bourreau :
« Ah, vous n'avez pas honte de faire ce métier ? »
Et le bourreau, résigné :
« Que voulez-vous ? Faut bien vivre ! »

On y va, on y va !

Un bègue et un bossu sont partis ensemble en vacances. Ils se font photographier devant un monument.
« Fais attention à ne pas bégayer, dit le bossu, ou alors la photo sera complètement floue.
– Et toi, répond le bègue, tu… tu… tu… ferais mieux de… de rentrer ta… ta… ta… bobosse ; autrement, on ne pou… poupou… pourra pas fer… fermer l'album ! »

« Quand Pinocchio va à Paris, à quelle station descend-il ?
– Porte-de-Pantin ! »

Une dame vient d'apprendre que son mari a été blessé dans un accident.
« Où donc ? demande-t-elle.
– Au col du fémur !
– Oh, le menteur ! Il m'avait dit qu'il passait par le col de la Faucille ! »

Un Anglais vient en vacances en France. Dans le bus, il entend des gens discuter entre eux. Il demande à sa voisine :
« *Please*, quoi veut dire "parloter" ?
– Oh, cela veut dire "parler un peu".
– Et "traficoter" ?
– C'est "trafiquer un peu"… »
Puis il arrive à son arrêt. Une dame est devant la porte et l'empêche de sortir. Alors l'Anglais, poli :
« Pardon, madame, vous pouvez reculotter ? »

Jules et Jo visitent New York. Bien sûr, ils vont voir la statue de la Liberté. Jules demande à Jo :
« À ton avis, la statue, elle est en quoi ?
– Elle étend la main ! »

(Elle étend quoi ?)

« Pourquoi les Indiens ont-ils froid la nuit ?
– Parce que Christophe Colomb les a découverts ! »

« Quels sont les hommes venus du froid que les enfants adorent ?
– Les Esquimaux ! »

« Comment fait-on les petits-suisses ?
– Comme n'importe quels autres enfants ! »

La maman de Jeanne se rend à la gare.
« Et où tu vas, maman ? demande Jeanne.
– Je te l'ai déjà dit : je vais voir ta mamie à Montauban.
– Ah, tu vas voir ma tatie à Tonmauban ! »

C'est une vieille dame distraite qui, au volant de sa voiture, passe au feu rouge. Malheureusement pour elle, il y a un gendarme pas loin. Il siffle et l'arrête :
« Alors, ma petite dame, on n'a pas vu le feu ?
– Ah, il y a un feu ! Ne vous inquiétez pas, j'ai un téléphone portable !
– Mais pour quoi faire ?
– Ben, pour prévenir les pompiers ! »

« Quelles villes de France, quand on les assemble, donnent 21 ?
– Troyes, Foix, Sète. »

(Trois fois sept !)

« Quel est le comble pour une femme égarée dans le désert sans une gourde d'eau ?
– Avoir l'air d'une gourde ! »

Le navire est en train de couler ! Affolé, le capitaine va sur le pont et lance des fusées de détresse. Cela fait joli dans le ciel, ces fusées qui s'envolent. Et pourtant, une passagère est furieuse. Elle apostrophe le capitaine :
« Vous ne croyez pas que le moment est mal choisi pour lancer un feu d'artifice ! »

« Quelle est l'histoire préférée des bébés hélicoptères ?
– Hélice au pays des merveilles ! »

(Alice au pays des merveilles)

La scène suivante se passe dans un hôpital en Guadeloupe. L'infirmière va trouver l'interne de garde :
« La touriste qui vient d'arriver aux u'gences a v'aiment une d'ôle de tête : elle a plein de plaques 'ouges et de boutons sur la figu'e.
– Bon, je vois, dit le médecin d'un ton très sûr de lui : impétigo !
– Non, non, docteu', pas un pétit g'os ; au cont'ai'e, c'est une g'ande dame toute maig'e ! »

Mme Duchmoll est depuis un certain temps dans le hall de l'aéroport à Orly. Elle commence à s'impatienter et va finalement trouver une hôtesse :
« Pardon, mademoiselle, j'attends quelqu'un qui doit rentrer par Airbus et le nom de cette ville n'a pas encore été annoncé sur le tableau d'affichage.
– Madame, c'est normal. Airbus n'est pas le nom d'une ville. C'est le type de l'appareil.
– Vous vous moquez de moi ! Le type de l'appareil, je sais bien qui c'est puisque c'est mon mari ! »

C'est le soir au mois d'août, il fait beau, et deux amoureux se promènent sur les bords du lac d'Annecy. De l'autre côté du lac, ils voient les lumières des maisons…
« Regarde, chéri, dit la jeune femme, toutes ces lumières, ce sont autant de personnes qui vivent, qui s'aiment ou qui mangent…
– Ah bon ! répond le jeune homme, moi qui croyais que c'étaient tout bonnement des lumières électriques ! »

« Que disent ces touristes qui avaient visité Pau par une chaleur épouvantable ?
– On était cuits hier à Pau. »

(Cuillère à pot !)

« Que trouve-t-on à proximité immédiate de Saint-Quentin ?
– Cinquante-deux ! »

« Que dit-on d'un tout petit fromage savoyard ?
– Il est haut comme trois tomes ! »

« Pourquoi est-ce difficile de joindre au téléphone un habitant de Narbonne ?
– Parce qu'il n'y a pas de Narbonnais au numéro que vous avez demandé ! »

(Il n'y a pas d'abonné…)

« Quel est le comble pour
un Monégasque ?
– D'enlever son chapeau alors
qu'il est en principe ôté ! »

(Principauté)

« Pourquoi n'y a-t-il pas
de vrais magiciens en Hollande ?
– Voyons, vous ne connaissez pas
les faux mages de Hollande ? »

(Fromages de Hollande)

« Que passe la télévision
allemande lorsqu'elle est
en grève ?
– Un programme Munich. »

(Programme unique)

« Quel exploit accomplit
un homme qui traverse l'Atlantique
dans une baignoire ?
– Une traversée en sanitaire ! »

« Que dit un skieur très pieux, avant de monter dans une cabine de téléphérique ?
– Benne, hissez-nous ! »

(Bénissez-nous !)

« À quoi reconnaît-on qu'une alpiniste est une bonne cuisinière ?
– À sa façon d'accommoder l'Everest ! »

(Les restes)

C'est un ambassadeur venu de la planète Mars à qui l'on projette un film sur la manière de faire des enfants sur Terre. Durant toute la projection, l'ambassadeur est plié en dix, il se tape sur les écouteurs, se fend l'écran de rire… Et quand enfin on lui demande ce qu'il trouve de si drôle, il répond :
« C'est parce que, chez nous, c'est comme ça qu'on fait les bagnoles ! »

« Pourquoi se lève-t-on tôt sur la *Calypso* ?
– Parce qu'on se Cousteau ! »

(Couche tôt)

Un Américain vient rendre visite à un cousin européen et se vante :
« Moi, en Californie, j'ai un ranch… tu devrais voir ça ! En partant tôt le matin, j'arrive pas à en faire le tour en voiture avant le coucher de soleil…
– Ah oui ? dit le cousin, pas du tout impressionné. Moi aussi, une fois, un vendeur m'a refilé une vieille voiture comme ça ! »

« Que dit un Anglais qui passe ses vacances sans sa femme ?
– Je suis en congé de ma *lady*. »

(De maladie)

« Tiens, Duchmoll, comment tu vas ? Ça fait un temps fou que nous ne nous sommes pas vus ! Tu n'es pas avec ta femme ?
– Oh ! tu sais, elle est tellement bavarde. Je l'ai laissée sur la plage avec ses copines, et moi je suis venu tranquillement ici boire un jus de fruits.
– Bon, écoute, si ça ne t'ennuie pas, je vais aller leur dire un petit bonjour...
– Vas-y, tu les reconnaîtras facilement : elles ont toutes la langue bronzée ! »

Deux amis se rencontrent sur la digue du Touquet :
« Tu sais, ma cousine, Marie-Thérèse...
– Celle qui est si bavarde ?
– Oui, ne m'en parle pas ! Eh bien, elle est venue passer quelques jours de vacances chez nous et elle a voulu apprendre à nager.
– Et alors, elle a appris ?
– Penses-tu, elle est trop bavarde : pour nager il faut garder la bouche fermée ! »

Au feu rouge, un automobiliste parisien aperçoit un copain et lui propose :
« Monte, je t'emmène où tu veux !
– Sympa ! Ça fait longtemps que tu roules ?
– Oh, ça fait au moins trois jours ! Mais c'est simplement parce que je n'ai pas encore trouvé de place pour me garer ! »

« Pourquoi y a-t-il tant d'églises à Rome ?
– Pour permettre aux piétons d'entrer faire une petite prière avant de traverser la rue. »

« Comment reconnaît-on la voiture d'un chauffard ?
– En dessous, il n'y a pas de pot d'échappement, il y a un piéton ! »

Un taxi se traîne dans les embouteillages à Paris. Son passager s'énerve et dit au chauffeur :
« Mais, enfin, vous ne pouvez pas aller plus vite ?
– Oh si, mais je n'ai pas le droit de quitter mon véhicule ! »

« Pourquoi les noms polonais se terminent-ils en *ski* ?
– Parce que les Polonais ne savent pas comment on écrit *patin à glace* ! »

Une troupe de théâtre vient jouer une pièce dans une petite ville. Duchmoll, tout content, se rend à la billetterie pour acheter deux places. Il revient une heure plus tard, très déçu.
« Qu'est-ce qui se passe ? lui demande sa femme. Il n'y avait déjà plus de places ?
– C'est pas ça. Mais, quand je suis arrivé, il y avait une grande affiche disant :
La Guerre de Troie n'aura pas lieu ! »

Tout le monde sait
que, le sixième jour, Dieu créa
la plus belle ville du monde : Paris.
Puis, réalisant quelle merveille
il venait de faire et ne voulant
pas être trop injuste avec les autres
capitales, il créa les Parisiens !

C'est un homme très avare.
Le docteur lui a dit que sa femme
n'allait pas bien et qu'elle avait
besoin d'air marin.
Depuis il l'évente avec un poisson !

Une poule, qui lit un magazine,
arrive aux pages des recettes
de cuisine et se lamente :
« Quelle horreur, cette rubrique
nécrologique !
Encore des œufs cassés,
au moins six morts ! »

Un lord écossais a invité ses amis à dîner. Sur la grande table, on a mis la belle nappe, les beaux verres de cristal, les belles assiettes. Les invités passent à table, et le domestique apporte des paniers avec du pain et des carafes d'eau. Pour ne pas paraître impolis, les invités se servent sans rien dire. Quand ils ont fini leur pain et leur eau, le domestique demande :

« Dois-je amener la poule, mylord ?
– Oui, s'il vous plaît. »
Les invités se regardent en souriant. Enfin, ils vont manger quelque chose de bon ! Mais le domestique arrive avec une poule bien vivante qu'il pose délicatement sur la table. Aussitôt, celle-ci se met à picorer les miettes et le lord, ravi, de dire :
« Ça serait quand même dommage de gaspiller toutes ces miettes ! »

Duchmoll et sa femme sont en vacances en Normandie. En voyant les pommiers en fleur, Duchmoll explique à sa femme :
« Admire, chérie, comme la nature est prévoyante : elle a fait pousser les pommiers en Normandie, sachant que c'est dans cette région qu'on boit le plus de cidre ! »

Des touristes qui se baladent en Afrique aperçoivent,
dans un village, un vieil homme,
avec une vieille camionnette,
qui vend un élixir en disant :
« Achetez-moi mon élixir
et vous vivrez jusqu'à 200 ans ! »
Alors, le touriste se tourne vers son voisin et lui demande :
« Vous y croyez, vous,
à ces balivernes ?
– Faut voir... De toute façon, c'est pas nouveau. Ce marchand est déjà venu ici il y a une centaine d'années et il vendait déjà la même camelote ! »

Une locomotive à vapeur demande à une locomotive électrique :
« Dites-moi, chère amie, comment avez-vous arrêté de fumer ? »

Un gars revient de vacances en Suisse. Il rencontre un copain qui lui demande :
« Alors, c'était bien ? Et les Helvètes ? »
Le gars ne sait pas trop ce que c'est que les Helvètes, alors il répond évasivement :
« Oui, c'était bien, oui. »
Mais, de retour chez lui, il ouvre le dictionnaire et lit : *Peuple suisse.*
Puis il repart en voyage, en Grèce cette fois. Il retrouve le même copain qui lui demande :
« Alors, et les Hellènes ?
T'en as vu des belles ? »
Ne sachant toujours pas ce que ça veut dire, le gars répond sans se mouiller :
« Bien, très bien. »
De retour chez lui, il ouvre le dictionnaire et lit : *Peuple grec.*
Il se dit : « C'est juré, la prochaine fois, il ne m'aura plus ! »
Et revoilà le gars qui repart en vacances, en Égypte cette fois.
Et toujours au retour, le même copain qui lui demande :
« Alors, vieux, et les pyramides ?
– Ne m'en parle pas ! Elles sont toutes folles de moi ! »

« Que demande un douanier
au cochon qui passe la douane ?
– Un passeport ! »

Dans un train, un voyageur
qui bégaie s'adresse à un autre :
« Pa… pa… pa… pardon… pour
des… des… des… cendre à Li…
Li… Lille ? »
Comme le voyageur ne lui répond
pas, il recommence :
« Pou… pou… pour… Li… Lille ? »
Le voyageur ne lui répond toujours
pas, le nez dans son journal.
Finalement, le bègue voit
la pancarte *Lille* et descend.
Alors, un autre voyageur s'adresse
à celui qui n'a pas répondu :
« Vous n'êtes pas sympa : pourquoi
est-ce que vous ne lui avez pas
répondu ?
– Pa… pa… pa… parce q… q…
qu'il au… au… aurait c… c… c…
ru que… que… je… je… me…
mmmme… fi… ffffi… fichais de…
de… lui ! »

« Quelle est la nationalité
d'un Noir qui se trouve sous
un tunnel ?
– C'est un "n'y voit rien" ! »

(Ivoirien)

Une jeune fille qui se promène en forêt est suivie depuis au moins deux heures par un écureuil. Excédée, elle se retourne et demande :
« Mais, enfin, pourquoi me suivez-vous comme ça ?
– Parce que vous avez les yeux noisette ! »

Deux touristes visitent un centre de la mer, dans lequel il y a un bassin avec des dauphins. Le dresseur vient faire une démonstration et les spectateurs applaudissent.
« Incroyables, ces dauphins : quelle intelligence ! dit le premier touriste.
– Tu as raison, répond le second. Quand on pense qu'il ne leur faut que quelques semaines de captivité pour dresser un homme à se tenir sur le bord d'une piscine et à leur lancer du poisson frais trois fois par jour ! »

« Hé, ne plonge pas dans cette piscine, elle n'est pas remplie !
– C'est parfait, je ne sais pas nager ! »

« Les enfants, demande le curé au catéchisme, qu'est-ce que l'état de grâce ? »
Alors, un gamin lève le doigt :
« C'est Monaco ! »

Une cavalière passe en forêt devant plusieurs touristes étrangers.
« Quel beau cheval ! dit l'Anglais.
– Que cette femme monte bien ! dit l'Allemand.
– Quelle belle femme ! » dit le Français.

Après le match, le capitaine de l'équipe demande au goal :
« Pourquoi n'as-tu pas arrêté le ballon ?
– Ben, les filets, alors, à quoi ils servent ? »

Un peintre abstrait,
qui organise une exposition,
explique à un visiteur :
« Voici mon portrait peint par moi-même et voici celui de ma femme ! »
Le visiteur regarde ce barbouillage,
puis il hoche la tête et murmure :
« J'espère, monsieur, que vous
n'avez pas d'enfants ! »

Lors d'une exposition
de peinture, un monsieur se tourne
vers sa voisine :
« À votre avis, que représente
ce tableau ? Un lever ou un coucher
de soleil ?
– Un coucher de soleil !
– Comment pouvez-vous en être
aussi sûre ?
– Je connais le peintre, il ne se lève
jamais avant onze heures du matin ! »

« Toujours durant une exposition, un mari s'exclame devant sa femme :
« Quels tableaux superbes, vraiment ! J'aimerais bien en avoir à la maison.
– Tu te fiches de moi ! répond sa femme. Je te fais la cuisine, le ménage, les courses, la lessive, le repassage, et maintenant, tu veux aussi que je me mette à peindre ! »

« Ah ! salut, Pierre ! Comment vas-tu ?
– Bien. Et toi ?
– Tu vas rire : l'autre jour, j'ai rencontré quelqu'un qui te ressemblait comme deux gouttes d'eau. Je l'ai même pris pour toi. Si tu savais comme il avait l'air crétin ! »

« Je vous présente ma dernière œuvre : *Vaches dans un pré.*
– Mais je ne vois pas de pré ?
– Normal, les vaches ont tout brouté.
– Alors, les vaches, où sont-elles ?
– Ben, comme il n'y avait plus d'herbe, elles sont allées brouter ailleurs ! »

Un Anglais et un Français discutent…
« Vous autres, les Français, dit l'Anglais, vous êtes trop bavards. Un bavardage qui vous perdra. N'oubliez pas que, du bavardage à la bêtise, il n'y a qu'un pas…
– Je sais, dit le Français : le Pas-de-Calais ! »

Au café, deux types discutent :
« Ma fille est vraiment formidable. C'est une artiste, une pianiste très douée. Samedi prochain, elle va jouer Beethoven, Mozart et Chopin.
– Oh, ben, dis donc, si elle commence déjà à jouer au tiercé ! »

C'est un cycliste du dimanche qui dit à son copain :
« Tu es gonflé de rouler à plat ! »

« Mamie, mamie, est-ce que je peux jouer du piano ?
– Oui, mais lave-toi d'abord les mains.
– C'est pas la peine, je ne toucherai que les touches noires ! »

Pendant un match de boxe, un spectateur est déchaîné :
« Allez, vas-y, Frankie, envoie-lui ton poing dans la figure ! Voilà, bravo, et pan dans les dents ! »
Son voisin s'étonne :
« Ben, dites donc, vous êtes un sacré supporter, vous ! C'est un de vos copains ?
– Non, pas du tout, moi je suis le dentiste de son adversaire ! »

Un pêcheur s'apprête à ranger son matériel après avoir passé toute une journée sous la pluie. Un promeneur qui le regarde lui demande :
« Alors, qu'est-ce que vous avez pris ?
– Un rhume ! »

« Quel est le comble pour un joueur de football ?
– Ne pas avoir de but ! »

Depuis sept heures du matin, un homme est assis à côté d'un pêcheur et l'observe. En plus, le pêcheur ne prend rien. Très énervé, il finit par dire à l'homme :
« Puisque ça a l'air de vous plaire tant que ça, la pêche, pourquoi est-ce que vous ne vous y mettez pas ?
– Oh moi, impossible, je n'aurais jamais la patience ! »

Aux sports d'hiver, une jeune fille drague un moniteur de surf :
« S'il vous plaît, j'aimerais tellement que vous me donniez un cours particulier. Samedi, par exemple ?
– Non, je ne donne jamais de cours le week-end.
– Alors, on pourrait peut-être aller au cinéma ?
– Impossible, je n'ai pas le temps. Tous mes samedis, je les passe à l'hôpital, pour rendre visite à mes anciens élèves ! »

Sur une plage, la jeune et jolie Lauretta porte un maillot très très mini. Elle croise le regard d'une vieille dame, outrée, qui ne peut s'empêcher de lui dire :
« C'est une honte, mademoiselle, de vous habiller comme ça. Que dirait votre mère, si elle vous voyait dans ce maillot ?
– Ça, c'est sûr, elle ne serait pas contente : je ne lui ai pas dit que j'ai pris le sien ! »

« Écoute, Jo, je vois bien que tu n'as pas le moral.
– Oui, la vie est si triste.
– Je sais ce qu'il te faut. Viens avec nous à la chorale. Tu verras, c'est très gai : on se retrouve tous au restaurant, on mange et on boit jusqu'à deux heures du matin…
– Ah… et vous chantez quand, alors ?
– En rentrant chez nous ! »

« Deux nageurs font la course. En sortant de l'eau, un seul a les cheveux mouillés. Pourquoi ?
– Parce que l'autre est chauve ! »

Cette mère de famille adore passer ses vacances à sommeiller sur une plage au soleil, pendant que son mari joue avec ses enfants. Mais, un soir, elle s'énerve :
« Allez, les enfants, ça suffit, il est l'heure de rentrer ! Dites-moi vite où vous avez enterré papa ! »

Au cinéma...
« Tu as vu, chuchote une femme à son mari, ton voisin s'est endormi.
– Bon, d'accord, mais ça n'est pas une raison pour me réveiller ! »

Un employé dort à poings fermés au bureau.
Brusquement, son collègue le secoue :
« Hé, réveille-toi, il est l'heure d'aller déjeuner !
– Merci, figure-toi que je faisais un cauchemar : j'étais en train de rêver que je travaillais ! »

« Quel est le comble pour un paresseux ?
– Se lever plus tôt pour passer plus de temps à ne rien faire ! »

Une dame achète des places de cinéma.
« C'est pour *Roméo et Juliette* ? demande le caissier.
– Non, non, c'est juste pour mon mari et moi ! »

Une séance de dédicaces dans une librairie :
« Bonjour, monsieur.
Je suis ravie de vous connaître.
Justement, je viens de lire un de vos livres.
– Ah, lequel ? Est-ce que c'était le dernier ?
– Ben, j'espère bien que oui ! »

Deux bandits visitent le musée du Caire en Égypte. Dans la salle des momies, ils sont ébahis. Tout à coup, l'un d'eux avise une étiquette : *D. 8697*.
« Qu'est-ce que ça peut bien vouloir dire ? demande-t-il.
– Oh, répond son copain, moi je sais : c'est sûrement le numéro des flics qui l'ont descendu ! »

« Qu'est-ce qui peut faire le tour du monde, sans quitter son petit coin ?
– Le timbre-poste ! »

Une vieille dame visite la capitale. Elle commence par faire une promenade en bateau-mouche. En passant sous le pont Neuf, elle est éblouie : « Si le pont Neuf est aussi beau, je me demande comment sera le pont Dix ! »

« Pourquoi le Pas-de-Calais et l'Angleterre sont-ils très proches ?
– Parce qu'ils se tiennent par la Manche ! »

Deux extraterrestres atterrissent à côté d'un feu orange qui clignote. « Ne regarde pas trop, dit l'un d'eux, mais je crois qu'on a séduit la dame qui est sur le trottoir à droite.
– Tu en es sûr ? demande l'autre, plein d'espoir.
– Mais oui, elle nous fait de l'œil. »

Duchmoll rentre d'Angleterre en France. À la frontière, les douaniers lui demandent :
« Alcool, cigarettes ?
– Vous êtes trop gentils, répond Duchmoll, mais je ne prendrai que de l'eau ! »

« Je commence par un E, je finis par un E, et pourtant je n'ai qu'une seule lettre. Qui suis-je ?
– L'enveloppe. »

Dans le train, une dame se plaint au contrôleur :
« Je suis très secouée, c'est inadmissible ! Je me plaindrai à la S.N.C.F. !
– Mais, madame, c'est parce que vous êtes dans le dernier wagon.
– Et alors ? Vous n'avez qu'à le supprimer ! »

Mise en pages Syntexte
Imprimé et broché en France par I.M.E. à Baume-les-Dames
Dépôt légal n° 4550 - Août 2000 - 22.17.3964.03/8
ISBN : 2.01.223964.1
Loi n° 49-956 du 16 juillet 1949 sur les publications destinées à la jeunesse